D1484345

Règles d'or
pour
la vie quotidienne

Editions Prosveta S.A. — B.P.12 — 83601 Fréjus Cedex (France)
ISSN 0290-4187
ISBN 2-85566-456-X

Omraam Mikhaël Aïvanhov

Règles d'or pour la vie quotidienne

Collection Izvor
N° 227

Du même auteur :

Collection Izvor

200 – Hommage au Maître Peter Deunov (hors série)
201 – Vers une civilisation solaire
202 – L'homme à la conquête de sa destinée
203 – Une éducation qui commence avant la naissance
204 – Le yoga de la nutrition
205 – La force sexuelle ou le Dragon ailé
206 – Une philosophie de l'Universel
207 – Qu'est–ce qu'un Maître spirituel ?
208 – L'égrégore de la Colombe ou le règne de la paix
209 – Noël et Pâques dans la tradition initiatique
210 – L'arbre de la connaissance du bien et du mal
211 – La liberté, victoire de l'esprit
212 – La lumière, esprit vivant
213 – Nature humaine et nature divine
214 – La galvanoplastie spirituelle et l'avenir de l'humanité
215 – Le véritable enseignement du Christ
216 – Les secrets du livre de la nature
217 – Nouvelle lumière sur les Evangiles
218 – Le langage des figures géométriques
219 – Centres et corps subtils
220 – Le zodiaque, clé de l'homme et de l'univers
221 – Le travail alchimique ou la quête de la perfection
222 – La vie psychique : éléments et structures
223 – Création artistique et création spirituelle
224 – Puissances de la pensée
225 – Harmonie et santé
226 – Le Livre de la Magie divine
227 – Règles d'or pour la vie quotidienne
228 – Regards sur l'invisible
229 – La voie du silence
230 – Approche de la Cité céleste
231 – Les semences du bonheur
232 – Les révélations du feu et de l'eau
233 – Un avenir pour la jeunesse
234 – La vérité, fruit de la sagesse et de l'amour
235 – « En esprit et en vérité »
236 – De l'homme à Dieu: Séphiroth et Hiérarchies angéliques
237 – La Balance cosmique – Le nombre 2
238 – La foi qui transporte les montagnes
239 – L'amour plus grand que la foi
240 – Qu'est-ce qu'un fils de Dieu ?

L'enseignement du Maître Omraam Mikhaël Aïvanhov étant strictement oral, cet ouvrage, consacré à un thème choisi, a été rédigé à partir de conférences improvisées.

Le bien le plus précieux : la vie

Combien de fois il vous est arrivé de gaspiller votre vie en courant après des acquisitions qui ne sont pas aussi importantes que la vie elle-même ! Y avez-vous réfléchi ? Si vous saviez donner la première place à la vie, si vous pensiez à la garder, à la protéger, à la conserver dans la plus grande intégrité, la plus grande pureté, vous auriez de plus en plus de possibilités d'obtenir ce que vous souhaitez. Car c'est justement cette vie éclairée, illuminée, intense, qui peut tout vous donner.

Du moment que vous êtes vivants, vous croyez que tout vous est permis. Eh non, quand vous aurez travaillé des années pour satisfaire vos ambitions, un jour vous vous retrouverez tellement épuisés, tellement blasés, que si vous mettez en balance ce que vous avez obtenu et ce que vous avez perdu, vous vous apercevrez que vous avez presque tout perdu pour gagner très peu. Combien de gens se disent : « Puisque j'ai la vie, je peux m'en servir pour obtenir tout ce que je désire: l'argent, les plaisirs, le savoir, la gloire… » Alors ils puisent, ils puisent, et quand il ne leur reste plus rien ils sont obligés d'arrêter toutes leurs activités. Cela n'a pas de sens d'agir ainsi, car si on perd la vie, on perd tout. L'essentiel, c'est la vie, et vous devez donc la protéger, la purifier, la renforcer, éliminer ce qui l'entrave ou la bloque, parce que c'est grâce à la vie que vous obtiendrez la santé, la beauté, la puissance, l'intelligence, l'amour et la vraie richesse.

Travaillez donc désormais à embellir votre vie, à l'intensifier, à la sanctifier. Vous le sentirez bientôt : cette vie qui est pure, qui est harmonieuse, ira toucher d'autres régions où elle agira sur une multitude d'autres entités qui viendront ensuite vous inspirer et vous aider.

Concilier la vie matérielle et la vie spirituelle

Personne ne vous demande de négliger complètement la vie matérielle pour vous consacrer uniquement à la méditation et à la prière, comme l'ont fait certains mystiques ou ascètes qui voulaient fuir le monde, ses tentations et ses difficultés. Mais se laisser accaparer par les préoccupations matérielles, comme le font de plus en plus les humains, n'est pas bon non plus. Vous devez tous pouvoir travailler, gagner de l'argent, vous marier, fonder une famille, mais avoir en même temps une lumière, des méthodes de travail, afin d'avancer sur le chemin de l'évolution.

La question est donc de mettre au point à la fois le côté spirituel et le côté matériel : être dans le monde mais pouvoir vivre en même temps une vie céleste. Voilà quel doit être votre but. Bien sûr, c'est difficile, car vous en êtes encore au point où, si vous vous lancez dans la vie spirituelle, vous laissez péricliter vos affaires, et si vous arrangez vos affaires, vous abandonnez la vie spirituelle. Eh non, les deux, il faut les deux, et vous pouvez y arriver. Comment ?… Eh bien, quoi que vous entrepreniez, commencez par vous dire : « Je cherche la lumière, je cherche l'amour, je cherche le vrai pouvoir, est-ce que je les obtiendrai en faisant ceci ou cela ? » Réfléchissez bien, et si vous voyez que telle préoccupation, telle activité vous éloigne de votre idéal, abandonnez-la.

Consacrer sa vie à un but sublime

Il est très important que vous sachiez dans quel but vous travaillez et pour qui, car suivant le cas vos énergies prennent telle ou telle direction. Si vous consacrez votre vie à un but sublime, elle va s'enrichir, augmenter en force et en intensité.

C'est exactement comme un capital que vous faites fructifier : vous placez ce capital dans une banque céleste, et alors au lieu d'être gâché, gaspillé, il augmente et vous êtes plus riche. Et comme vous êtes plus riche, vous avez la possibilité de mieux vous instruire, de mieux travailler. Celui qui s'adonne aux plaisirs, aux émotions, aux passions, gâche son capital, sa vie, parce que tout ce qu'il obtient ainsi, il doit le payer, et c'est avec sa vie qu'il le paie. Tandis qu'en plaçant votre capital dans une banque en haut, plus vous travaillez, plus vous vous renforcez, parce que de nouveaux éléments plus purs, plus lumineux, viennent sans cesse s'engouffrer en vous pour remplacer ce que vous avez perdu.

La vie quotidienne : une matière que l'esprit doit transformer

Dans tous les actes de la vie quotidienne, même les plus simples, vous devez apprendre à mettre en action des forces et des éléments qui vous permettent de transposer ces actes dans le plan spirituel et d'atteindre ainsi les degrés supérieurs de la vie.

Prenons une journée ordinaire : le matin on se réveille, et immédiatement c'est toute une série de processus qui se déclenchent, des pensées, des sentiments, des gestes aussi : se lever, allumer la lampe, ouvrir les fenêtres, se laver, préparer le petit déjeuner, aller au travail, rencontrer des gens, etc. Que de choses à faire et tout le monde est obligé de les faire. La différence, c'est que certains les font machinalement, mécaniquement, alors que d'autres, au contraire, qui possèdent une philosophie spirituelle, cherchent à introduire dans chacun de ces actes une vie plus intense, plus pure, et à ce moment-là, tout est transformé, tout prend un sens nouveau et ils sont sans cesse inspirés.

Évidemment, on voit beaucoup de gens se montrer dynamiques, entreprenants, mais toute cette activité est limitée à la poursuite du succès, de l'argent, de la gloire ; ils ne font rien pour rendre leur existence plus sereine, plus équilibrée, plus harmonieuse. Et ce n'est pas intelligent, car cette activité débordante ne réussit qu'à les épuiser et à les rendre malades.

Habituez-vous donc à considérer votre vie quotidienne, avec les actes que vous êtes obligés d'accomplir, les événements qui se présentent à vous, les êtres auprès desquels vous devez vivre ou que vous rencontrez, comme une matière sur laquelle vous devez travailler pour la transformer. Ne vous contentez pas d'accepter ce que vous recevez, de subir ce qui vous arrive, ne restez pas passifs, pensez toujours à ajouter un élément susceptible d'animer, de vivifier, de spiritualiser cette matière. Car c'est cela véritablement la vie spirituelle : être capable d'introduire dans chacune de vos activités un élément, un ferment susceptible de projeter cette activité sur un plan supérieur. Vous direz : « Et la méditation et la prière… ? » Eh bien, justement, la prière et la méditation vous servent à capter ces éléments plus subtils, plus purs, qui vous permettent de donner à vos actes une dimension nouvelle.

Il peut se produire dans votre existence des événements qui rendent impossible la pratique des exercices spirituels que vous êtes habitués à faire chaque jour. Mais cela ne doit pas vous empêcher de continuer à être en contact avec l'Esprit. Car l'Esprit est au-dessus des formes, au-dessus des pratiques. Dans n'importe quelle situation, dans n'importe quelle circonstance, vous pouvez entrer en contact avec l'Esprit afin qu'il anime et embellisse votre vie.

*La nutrition considérée comme un yoga**

Combien de gens désaxés par une vie trépidante cherchent des moyens pour retrouver leur équilibre ! Et ils pratiquent le yoga, le zen, la méditation transcendantale, ou bien ils vont

* Un volume de la Collection Izvor est consacré à ce sujet : « Le yoga de la nutrition ».

apprendre à se relaxer. C'est très bien, mais il existe d'après moi un exercice plus facile et plus efficace : apprendre à manger. Vous êtes étonnés ? Pourquoi ? Au lieu de manger n'importe comment, dans le bruit, la nervosité, la précipitation, les chamailleries même – et après aller faire du yoga ! – ne vaut-il pas mieux comprendre que chaque jour, deux ou trois fois par jour, l'occasion vous est donnée de faire un exercice de détente, de concentration, d'harmonisation de toutes vos cellules ?

Au moment de vous mettre à table, commencez par chasser de votre esprit tout ce qui peut vous empêcher de manger dans la paix et l'harmonie. Et si vous n'y arrivez pas tout de suite, attendez pour commencer le repas le moment où vous aurez réussi à vous calmer. Quand vous mangez dans un état de trouble, de colère ou de mécontentement, vous introduisez en vous une fébrilité, des vibrations désordonnées qui se transmettent à tout ce que vous faites ensuite. Même si vous essayez de donner une impression de calme, de maîtrise, il sort de vous quelque chose d'agité, de tendu, et vous commettez des erreurs, vous heurtez les gens ou les choses, vous prononcez des mots maladroits qui vous font perdre des amitiés et vous ferment des portes... Tandis que si vous mangez dans un état d'harmonie, vous résolvez mieux les problèmes qui se présentent ensuite à vous, et même si toute la journée vous êtes obligés de courir à droite et à gauche, vous sentez en vous une paix que votre activité ne peut pas détruire. C'est en commençant par le commencement, par les petites choses, qu'on peut aller très loin.

Ne croyez pas que la fatigue vienne toujours de ce que vous avez trop travaillé. Non, elle vient très souvent d'un gaspillage de forces. Et justement, quand on avale la nourriture sans l'avoir bien mâchée, mais aussi sans l'avoir assez imprégnée par ses pensées et ses sentiments, elle est plus difficile à digérer, et l'organisme, qui aura beaucoup de peine à l'assimiler, ne pourra pas en bénéficier pleinement.

Quand vous mangez sans prendre conscience de l'importance de cet acte, même si votre organisme se trouve renforcé par la nourriture, il ne reçoit que les particules les plus grossières, les plus matérielles, et cela ne peut se comparer avec les énergies dont vous pourriez bénéficier si vous saviez vraiment manger dans le silence, en vous concentrant sur la nourriture pour en recevoir les éléments éthériques et subtils. Donc, pendant les repas, concentrez-vous sur la nourriture en projetant sur elle des rayons d'amour ; à ce moment-là, la séparation se fait entre la matière et l'énergie : la matière se désagrège, tandis que l'énergie entre en vous et vous pouvez en disposer.

L'essentiel, dans la nutrition, ce n'est pas les aliments eux-mêmes, mais les énergies que ces aliments contiennent, la quintessence emprisonnée, car c'est dans cette quintessence qu'est la vie. La matière de l'aliment n'est là que comme un support, et justement cette quintessence si subtile, si pure, ne doit pas uniquement servir à alimenter les plans inférieurs, le corps physique, le corps astral, le corps mental, elle doit aussi servir à alimenter l'âme et l'esprit.

La respiration

« Mâcher » l'air pour en extraire les énergies

Au cours de la journée, habituez-vous à faire quelques respirations. Mais pour qu'elles soient réellement profitables, il faut que ces respirations soient lentes et profondes. Parce que l'air pur doit avoir le temps de descendre dans les poumons pour les remplir et chasser ainsi l'air vicié. Et non seulement il faut respirer profondément, mais de temps à autre il est bon de retenir l'air quelques secondes dans les poumons avant de le relâcher. Pourquoi ? Pour le mâcher, car les poumons savent mâcher l'air comme la bouche sait mâcher les aliments. L'air que nous aspirons est comme une « bouchée » de nourriture remplie d'énergies vivifiantes. Mais pour bénéficier pleinement de ces énergies, il faut donner aux poumons le temps de mâcher l'air et de le digérer. Lorsque vous respirez ainsi, faites-le avec la conscience qu'à travers l'air, c'est la vie divine que vous recevez dans votre corps.

Dimension psychique et spirituelle

Les exercices de respiration agissent bénéfiquement sur la santé, bien sûr, mais aussi sur la volonté, sur la pensée. Faites-en l'expérience : si vous avez un fardeau à soulever, vous le ferez plus facilement après avoir pris une respiration profonde. Dans les petits faits de la vie quotidienne, dans vos relations avec les autres, pensez aussi à respirer, cela vous permettra de vous maîtriser. Avant un entretien, par exemple, pour que la discussion ne dégénère pas en dispute, prenez l'habitude de bien respirer. Et si vous êtes troublé, pourquoi ne demandez-vous pas l'aide des poumons ? Ils sont là pour vous aider. Pendant deux ou trois minutes, inspirez et expirez profondément : vos pensées s'allégeront et se clarifieront. Vous avez besoin d'aide, et c'est normal, mais pourquoi la cherchez-vous toujours à l'extérieur, alors qu'elle est en vous ?

Si vous arrivez à saisir le sens profond de la respiration, vous sentirez peu à peu votre propre respiration se fondre dans la respiration cosmique. En expirant, pensez que vous arrivez à vous élargir, à vous étendre jusqu'à toucher les confins de l'univers, puis en inspirant, revenez vers vous, vers votre ego qui est comme un point imperceptible, le centre d'un cercle infini. De nouveau vous vous dilatez, et de nouveau vous vous contractez... Vous découvrez ainsi ce mouvement de flux et de reflux qui est la clé de tous les rythmes de l'univers. En tâchant de le rendre conscient en vous-même, vous entrez dans l'harmonie cosmique et il se fait un échange entre l'univers et vous, car en inspirant, vous recevez des éléments de l'espace, et en expirant vous projetez en retour quelque chose de votre cœur et de votre âme.

Celui qui sait s'harmoniser avec la respiration cosmique, entre dans la conscience divine. Le jour où vous sentirez cette dimension, vous voudrez travailler toute votre vie à inspirer la force et la lumière de Dieu pour donner ensuite cette lumière au monde entier. Car c'est aussi cela, l'expiration : distribuer la lumière que l'on a réussi à puiser auprès de Dieu.

La respiration consciente apporte des bénédictions incalculables pour la vie physique, émotionnelle, intellectuelle et spirituelle. Il faut que vous en observiez les bons effets dans votre cerveau, dans votre âme, dans toutes vos facultés ; c'est un facteur très puissant pour tous les domaines de la vie. Ne laissez jamais cette question de côté.*

Comment récupérer ses énergies

Vous vous laissez trop souvent entraîner par toute cette fébrilité qui est devenue maintenant l'état habituel des humains et qui est très préjudiciable à leur équilibre physique et psychique. Vous devez mieux veiller sur votre système nerveux en lui procurant de temps en temps une détente. Vous pouvez, par exemple, vous retirer dans une pièce calme, vous allonger à plat ventre sur un lit, ou par terre sur un tapis, les bras et les jambes détendus ; vous vous laissez aller comme si vous vous enfonciez dans un océan de lumière, sans bouger, sans penser à rien... Une ou deux minutes après vous vous relevez rechargé. C'est tout, c'est peu de chose, mais c'est très important.

Bien sûr, vous direz qu'il n'est pas toujours possible de s'allonger ainsi. Eh bien, restez assis ; l'essentiel, c'est que vous arriviez à briser cette tension dans laquelle vous vivez. Il faut savoir s'arrêter et pas seulement une ou deux fois par

* Voir : « La respiration, dimension spirituelle et applications pratiques », brochure n° 303.

jour, ce n'est pas assez, mais dix, quinze, vingt fois. Cela peut ne durer qu'une minute ou deux, l'essentiel, c'est de vous habituer à le faire fréquemment. Chaque fois que vous avez un moment de libre n'importe où, au lieu de perdre votre temps ou de vous énerver parce qu'on vous fait attendre, profitez de cette occasion pour vous apaiser et retrouver votre équilibre : vous reprendrez ensuite vos activités avec des forces nouvelles.

L'amour rend infatigable

Le plus grand secret pour pouvoir maintenir notre activité dans les meilleures conditions, c'est d'apprendre à toujours travailler avec amour. Car c'est l'amour qui renforce, qui vivifie, qui ressuscite. Quand on n'a pas cet amour et que l'on considère son travail seulement comme un gagne-pain, cela ne donne pas de bons résultats. Bien sûr, on gagne quelque argent, mais on perd sa joie, on perd son enthousiasme, on devient irritable et la santé s'abîme. Travaillez pendant des heures avec amour et vous ne sentirez pas la fatigue ; mais travaillez à peine quelques minutes sans amour, dans la colère ou la révolte, tout se bloquera au-dedans de vous et vous serez sans force.

Il faut comprendre l'efficacité, la puissance de l'amour. Tout ce que vous faites, faites-le avec amour ou alors ne le faites pas ! Car ce que vous faites sans amour vous fatigue, vous empoisonne même, et ne vous étonnez pas ensuite d'être épuisé, malade. Combien de gens se demandent comment devenir infatigables ! Le secret, c'est d'aimer ce que l'on fait, car l'amour réveille toutes les énergies.

Le progrès technique libère l'homme pour le travail spirituel

Ce n'est pas parce que la science et la technique vous fournissent chaque jour de nouveaux appareils et de nouveaux produits qui facilitent la vie, que vous devez vous laisser aller. Toutes ces améliorations, vous devez les considérer comme autant de possibilités de vous consacrer à des activités spirituelles. Voilà la véritable signification du progrès technique : libérer l'homme, oui, mais en vue d'autres travaux. Vous avez moins à peiner sur la matière extérieure ? C'est pour avoir plus de temps pour travailler sur votre matière intérieure, la maîtriser, la spiritualiser et devenir ainsi une présence bénéfique pour le monde entier. Après chaque effort, après chaque exercice, la vie prend une autre couleur, un autre goût. Combien de gens comblés matériellement sont tellement blasés qu'ils n'éprouvent plus la moindre joie ! C'est qu'intérieurement ils n'ont plus aucune activité, aucune vie intense. S'ils étaient éclairés, ils continueraient à profiter de tout, mais sans s'arrêter de faire un travail intérieur. Car c'est ce travail qui donne un goût aux choses.

Aménagez votre demeure intérieure

Vous devez apprendre à mettre l'accent sur les possibilités du monde intérieur, car c'est là, dans votre monde intérieur, que vous êtes continuellement plongé. Vous n'êtes pas toujours en train de regarder, d'écouter, de toucher, de goûter quelque chose à l'extérieur de vous, tandis que vous êtes toujours avec vous-même, dans ce monde intérieur dont vous ne savez pas encore utiliser toutes les richesses. Ce monde vous appartient : où que vous alliez, vous l'emportez avec vous et vous pouvez compter sur lui, tandis que le monde extérieur peut toujours vous réserver quelques déceptions. Peut-être, pour un moment, vous pouvez vous imaginer que vous tenez quelque chose, mais peu de temps après vous ne tenez plus rien, on vous l'a pris ou vous l'avez perdu. Si vous cherchez l'abondance, la plénitude, sachez que c'est en vous-même que vous pouvez véritablement les trouver. Vous ne vous connaissez pas, vous ne savez pas tout ce que vous possédez, tout ce que

Dieu a placé en vous comme trésors, connaissances, puissances. Vous devez maintenant faire un effort pour sentir et utiliser toutes ces ressources.

Je vous donnerai une image. Certaines personnes ont su si bien aménager leur appartement ou leur maison qu'elles n'aiment pas tellement sortir pour aller ailleurs où elles devront supporter le bruit, la poussière, les embouteillages. Alors que d'autres, qui vivent misérablement dans un taudis sans aucune commodité, cherchent toutes les occasions pour s'échapper de chez elles (ce qui d'ailleurs n'est pas la véritable solution, mais enfin...) Alors, transposons maintenant. Le spiritualiste est celui qui a si bien arrangé son for intérieur qu'il n'y manque rien : la poésie, les couleurs, la musique, tout est là, et il souffre quand il est obligé de « sortir » et d'abandonner cette beauté. Tandis que les gens ordinaires, qui n'ont jamais rien fait pour rendre leur for intérieur habitable, ne pensent qu'à aller se distraire ailleurs. Dès qu'ils se retrouvent seuls avec eux-mêmes, ils s'ennuient, c'est la misère.

Alors, maintenant, réfléchissez un peu pour voir quelle est la situation la plus avantageuse. Puisque vous êtes jour et nuit avec vous-même, n'est-il pas beaucoup plus profitable d'améliorer cet endroit que vous ne quittez jamais ? Pourquoi laissez-vous votre for intérieur à l'abandon, comme un taudis où les vitres sont cassées, où les araignées tissent leur toile partout ? Désormais, pensez davantage à tout embellir, enrichir et harmoniser en vous-même ; non seulement vous vous sentirez très bien chez vous, mais aussi, dans cette demeure tellement magnifique, vous pourrez recevoir des invités. Oui, les esprits lumineux seront heureux de venir vous rendre visite ; peut-être même décideront-ils de s'installer définitivement et c'est vous qui bénéficierez de leur présence.

Le monde extérieur est un reflet de votre monde intérieur

Sachez que vous ne pourrez rien trouver à l'extérieur de vous que vous n'ayez préalablement trouvé en vous. Car même ce que vous trouvez extérieurement, si vous ne l'avez pas déjà trouvé intérieurement, vous passerez sans le voir. Plus vous aurez découvert l'amour, la sagesse, la beauté intérieurement, plus vous les découvrirez autour de vous. Vous pensez que si vous ne voyez pas certaines choses, c'est qu'elles n'y sont pas. Si, elles y sont, et si vous ne les voyez pas, c'est parce que vous ne les avez pas suffisamment développées en vous. Le monde extérieur n'est fait que des reflets du monde intérieur, donc, ne vous faites pas d'illusions, vous ne trouverez jamais la richesse, la paix, le bonheur extérieurement si vous n'avez pas d'abord fait l'effort de les trouver intérieurement.

Préparez l'avenir en vivant bien le présent

Souvent vous vous inquiétez pour l'avenir, en pensant que vous n'êtes jamais à l'abri des accidents, de la maladie, de la misère… Mais pourquoi vous empoisonner l'existence en imaginant tout ce qui peut arriver de mauvais ? On ne sait jamais ce que réserve l'avenir, c'est vrai, mais la meilleure façon d'éviter les malheurs qu'on redoute, c'est d'essayer de vivre raisonnablement dans le présent. L'avenir sera tel que vous êtes en train de le construire dans le présent. Donc, c'est « maintenant » qui compte. De même que le présent est une conséquence, un résultat du passé, l'avenir est un prolongement du présent. Tout se tient, le passé, le présent, l'avenir ne sont pas séparés. L'avenir sera édifié sur les fondations que vous posez maintenant. Si ces fondations sont mauvaises, évidemment, mieux vaut ne pas s'attendre à un avenir exceptionnel ; mais si elles sont bonnes, inutile de s'inquiéter : avec telles racines, vous aurez tel tronc, telles branches et tels fruits.

Le passé est passé, mais il a mis au monde le présent qui porte les racines de l'avenir. Vous devez donc construire dès maintenant votre avenir en améliorant le présent.

Pour cela vous devez chaque jour vous demander : « Voyons, aujourd'hui, qu'est-ce que j'ai dit, qu'est-ce que j'ai fait ? Quels ont été mes sentiments, mes pensées ? » Et si vous avez mal agi, si vous avez eu de mauvais sentiments, de mauvaises pensées, sachez que vous vous êtes rangé du côté des forces noires et qu'elles vont détruire votre avenir.

Si vous avez mal vécu une journée, essayez au moins, avant de vous coucher, d'en enrayer les effets, en ayant les meilleures pensées, en prenant les meilleures décisions pour le lendemain. Ces pensées, comme des abeilles, iront tout nettoyer et réparer pendant la nuit, et vous aborderez le jour suivant dans de meilleures conditions.

Goûtez la plénitude du présent

Certains êtres ne vivent que dans le passé, leur passé ; ils sont comme prisonniers des quelques événements qui se sont produits dans leur vie et ils ne peuvent plus avancer. D'autres, au contraire, sont plongés dans l'avenir, mais un avenir fantasmagorique, créé par leur imagination et qui ne se réalisera jamais. C'est bien de revenir quelquefois vers le passé, mais seulement pour voir là où l'on a fait des fautes, là où l'on a bien agi, et en tirer des leçons. C'est tout un trésor d'expériences dont on peut se servir pour mieux vivre le présent.

Mais en même temps qu'on tire les leçons du passé, il est bénéfique de se plonger dans l'avenir lointain, de se demander comment Dieu envisage cet avenir pour l'humanité, dans quelle splendeur, dans quelle lumière elle vivra. Bien sûr, beaucoup de gens pensent à l'avenir, mais quel avenir ? Ils se disent : « D'ici quelques années on se mariera, bon, on aura quelques enfants, un poulailler, une petite maison, comme ça, devant laquelle on fumera tranquillement sa petite pipe en regardant passer les vaches... ou les trains ! On respirera un peu de poussière, puis on rentrera, on mangera, on trinquera et on se couchera. » Mon Dieu, quel bel avenir ! Vous direz : « Mais ce n'est pas ainsi que nous... » Oui, je sais, vous pensez que vous gagnerez de l'argent, que vous ferez des affaires, que vous serez quelque part glorieux, professeur d'université, homme d'affaires, ministre ou chef d'État, que vous aurez une jolie fille à embrasser jour et nuit... Mais qu'est-ce que c'est tout cela ? C'est lamentable !

Vous devez maintenant apprendre à regarder au-delà de cet avenir douteux et chercher de nouveaux horizons, ouvrir des fenêtres sur l'infini pour voir quel sera véritablement l'avenir de l'humanité, comment Dieu l'envisage, et anticiper déjà par votre vie sur cet avenir. Et ne prenez pas en considération la question du temps, ne vous dites jamais : « Oui, mais à ce moment-là je ne serai plus vivant, moi, ce ne sera plus mon époque », car en disant cela, vous vous interdisez la vraie beauté, vous vous interdisez de comprendre le véritable sens de la vie.

Le présent doit être le temps de l'action consciente, éclairée, qui tire sa sagesse des leçons du passé, mais qui est aussi stimulée par toutes les possibilités de l'avenir. Voilà la perfection : les leçons du passé (et Dieu sait si le passé de l'humanité nous a donné des leçons !) et l'avenir avec ses promesses infinies. Si vous savez comment vivre dans le présent en exprimant les expériences du passé et les splendeurs de l'avenir, vous vous approchez de la Divinité. Que chantent les Séraphins devant le Trône de Dieu ? « Saint, saint, saint est le Seigneur Dieu Tout-Puissant, qui était, qui est et qui sera. » Voilà comment votre conscience peut s'élargir aux dimensions de la conscience divine.

L'importance du commencement

Être conscient des forces que l'on met en action

Il ne faut jamais entreprendre quoi que ce soit sans être instruit des forces qu'on met en mouvement. Car l'essentiel, c'est le commencement.

C'est là, au commencement, que se déclenchent les forces, et ces forces ne s'arrêtent pas en chemin, elles vont jusqu'au bout. Vous êtes sur une montagne, vous avez au-dessus de vous un énorme rocher prêt à dégringoler la pente à la moindre secousse ; il dépend de vous de le laisser tranquille ou de précipiter sa chute. Si vous le mettez en branle, impossible ensuite de l'arrêter : il vous écrasera et beaucoup d'autres avec vous. Et si vous ouvrez les portes d'une écluse, essayez ensuite d'arrêter l'eau !... Il est toujours facile de déclencher des forces ou des événements, mais il est très difficile de les diriger, de les orienter, donc, de les dominer. L'expression « apprenti-sorcier » désigne justement celui qui a déclenché imprudemment des courants qu'il est ensuite incapable de contenir ou d'orienter. Quand des agitateurs déclenchent une émeute, il n'y a plus moyen ensuite de la maîtriser, elle leur échappe.

Avant de dire un mot, de jeter un regard, d'écrire une lettre, de donner le départ d'une action, vous avez tous les pouvoirs, mais ensuite c'est fini, vous n'êtes plus que le spectateur, et quelquefois même la victime. Que ce soit dans le plan physique, dans le plan astral ou dans le plan mental, la loi est la même. Quand vous sentez la colère monter en vous, si vous décidez immédiatement de la contenir, elle n'éclatera pas, mais si vous la laissez éclater, vous ne pourrez plus arrêter son cours. Et c'est vrai encore pour certaines idées : si vous les laissez s'installer en vous, elles finiront par devenir indéracinables. Alors, soyez vigilant, n'oubliez jamais que c'est au commencement que vous avez le vrai pouvoir.

Chercher la lumière avant d'agir

Avant de vous lancer dans une entreprise de quelque importance, la première chose à faire est de vous recueillir, de vous lier au monde invisible afin d'avoir les meilleures conditions pour agir. Quand on est troublé, désorienté, on ne peut que commettre des erreurs, embrouiller les choses ou les détruire. Et c'est ce qui arrive souvent : on agit précipitamment, à l'aveuglette, et les résultats ne sont pas fameux.

Pour agir correctement, vous devez d'abord chercher la lumière. C'est d'ailleurs vrai déjà dans le plan physique : vous êtes réveillé la nuit par un bruit, quelque chose qui est tombé et qui s'est cassé, ou quelqu'un qui est entré… Est-ce que vous allez vous précipiter comme ça dans le noir ? Non, vous savez que c'est trop risqué. La première chose que vous faites, c'est d'allumer une lampe pour y voir, et ensuite vous agissez. Eh bien, pour n'importe quel cas dans la vie, vous avez tout d'abord besoin d'allumer la lumière, c'est-à-dire de vous concentrer, de vous recueillir afin de savoir comment agir. Si vous n'avez pas cette lumière, vous irez à gauche, à droite, vous frapperez à plusieurs portes, vous essayerez toutes sortes de moyens qui s'avéreront inefficaces.

Donc, avant d'entreprendre quoi que ce soit d'important, vous devez concentrer quelques minutes votre pensée sur le monde de la lumière et demander comment agir. La réponse viendra sous la forme d'une idée ou d'un sentiment précis, ou encore d'une image symbolique. Si la réponse est claire, vous pouvez y aller. Mais si vous ressentez une hésitation, une appréhension, un trouble ou une contradiction, c'est que des obstacles ou des ennemis vous barrent le chemin. Alors, remettez au lendemain, reposez la question et attendez pour agir que votre route soit claire et bien dégagée.

Surveiller toujours le premier mouvement

Au moment d'entreprendre un travail nouveau, veillez à être calme, concentrez toute votre attention sur le premier geste, le premier mouvement, et faites-le exactement, sans erreur. Répétez-le ensuite un peu plus vite, et répétez-le encore jusqu'à atteindre le rythme et la vitesse voulus : vous verrez qu'il vous paraîtra de plus en plus facile tout en restant impeccable. Quels que soient les gestes, les actes que vous ayez à exécuter, si dès le début vous avez su graver une bonne empreinte, vous arriverez à les répéter toujours correctement.

Si vous commettez aujourd'hui des erreurs dans un certain domaine, c'est que dans le passé, sans vous en apercevoir, vous avez tracé des empreintes défectueuses. Le premier mouvement, le premier geste, le premier contact pris avec tel objet ou telle personne, si vous n'y avez pas prêté attention, si vous avez commis des erreurs, vous en subissez maintenant les conséquences : les fautes s'accumulent et s'aggravent au fil du temps. Il est très difficile de réparer dans le présent les erreurs inscrites en nous dans le passé, mais il est facile d'apprendre à graver correctement de nouvelles empreintes.

Prendre conscience de ses habitudes mentales

Les humains sont rarement conscients de leurs habitudes mentales. L'un, quand il doit entreprendre un travail, est tout de suite crispé, il s'énerve ; un autre, devant chaque situation nouvelle, a pour première réaction de se montrer pessimiste, critique ou affolé ; un autre se révolte, un autre se décourage… Mais comme ce sont des attitudes dont ils ne se rendent même pas compte, ils ne peuvent pas y remédier, et dans n'importe quelle situation ils trouvent toujours un prétexte pour se montrer négatifs. La première chose à faire est donc de vous étudier pour connaître vos façons de réagir. Dès le moment où vous voyez clair en vous, vous avez déjà les moyens d'affronter les situations : tout de suite vous recevez un élan pour mobiliser toutes les possibilités que Dieu a mises dans votre subconscience, votre conscience et votre superconscience : c'est ainsi que chaque jour vous progressez à cause de cette habitude que vous avez prise de vous étudier et d'être lucide sur vous-même.

Attention et vigilance

L'attention a plusieurs aspects. L'aspect le plus connu est évidemment cette application soutenue qui est nécessaire pour faire correctement son travail, écouter une conférence, ou lire un livre. Mais il existe aussi une autre attention qui s'appelle observation de soi, introspection. Elle consiste à se rendre compte à chaque moment de la journée de ce qui se passe en nous, afin de discerner les courants, les désirs, les pensées qui nous traversent. C'est cette attention-là qui n'est pas encore suffisamment développée. C'est pourquoi, quand vient le moment de résoudre un problème, de comprendre une question importante, le cerveau est fatigué, obscurci, et on ne fait rien de bon.

Pour que votre cerveau soit toujours lucide, disponible, vous devez être attentif, prudent, économe et mesuré dans toutes vos activités, sinon, alors même que la Vérité en personne viendra se présenter devant vous, vous ne comprendrez rien. Pour être capable de faire face raisonnablement, intelligemment, à toutes les situations qui se présentent, vous devez toujours garder la pensée éveillée et vigilante. Celui qui n'est pas vigilant, qui ferme les yeux, est exposé à tous les dangers. Il n'y a rien de pire que de vivre les yeux fermés. Il faut garder les yeux ouverts pour pouvoir se rendre compte sans cesse des états de conscience dans lesquels on se trouve. Seul celui qui garde les yeux ouverts possède l'intelligence de la vie intérieure, il ne se laisse plus ligoter par n'importe quelle force, n'importe quelle entité. Un homme endormi… c'est tellement clair que n'importe qui peut venir le prendre par surprise !

Alors voilà, veillez sur l'attention intérieure, cette attention de tous les instants, afin de toujours savoir ce qui se passe au-dedans de vous.

Exercez-vous. Il ne suffit pas de faire, le soir, un examen de conscience ; c'est à n'importe quel moment de la journée que vous devriez être capable de dire quels sont les désirs, les pensées, les sentiments qui vous traversent, d'en connaître l'origine, la nature, et de pouvoir, s'il le faut, prendre des précautions ou même réparer les dégâts.

Dans la vie quotidienne, dès qu'il se produit un accident, on voit comment les pompiers ou les militaires sortent tout de suite pour éteindre les incendies, réparer les ponts, dégager les routes, sauver les blessés, etc. Dans le plan physique on trouve tout naturel de réparer immédiatement les dégâts. Mais dans le plan intérieur on ne sait que faire, on laisse toutes les destructions se produire sans réagir. Eh non, cinq fois, dix fois, vingt fois par jour il faut regarder en soi-même pour voir ce qu'il y a à réparer et ne pas attendre pour le faire. Sinon après, c'est trop tard, on est disloqué, anéanti.

S'en tenir à une direction spirituelle

Pour faire un véritable travail spirituel, on doit s'en tenir à une philosophie, à un système, et l'approfondir ; sinon, il se passe avec l'organisme psychique exactement ce qui se passe avec l'organisme physique. Si vous absorbez toutes sortes d'aliments hétéroclites, vous tombez malade ; de la même façon l'estomac psychique peut avoir une indigestion de tout ce que vous lui faites ingurgiter. Que voulez-vous faire avec un mélange de traditions égyptiennes, hindoues, tibétaines, africaines, chinoises, hébraïques, aztèques ? Si encore vous aviez une structure mentale assez solide pour savoir comment vous diriger au milieu de tout ça ! Mais beaucoup sont à peine capables de se faire une idée claire d'un seul système philosophique, alors à quoi cela peut-il les mener de vouloir tout lire, tout connaître ? À perdre la tête, c'est tout. Et ensuite, évidemment, on accusera la spiritualité de désaxer les gens ! Ce n'est pas la faute de la spiritualité si les humains s'imaginent que c'est une foire où l'on trouve toutes sortes d'attractions, et même les attractions les plus dangereuses, comme la drogue, la magie noire et une sexualité débridée. Il est temps de comprendre que la véritable spiritualité, c'est d'arriver à être vous-même l'expression vivante de l'Enseignement divin que vous suivez.

Insister plus sur la pratique que sur la théorie

Essayez de mieux comprendre la différence qui existe entre le travail spirituel et le travail intellectuel. Vous avez, par exemple, une orange ; intellectuellement, vous pouvez apprendre une quantité de choses à son sujet : son origine, son histoire, son poids, sa forme, ses propriétés, les éléments chimiques qui la composent, les différentes façons de l'utiliser, son symbolisme même… Dans une

École initiatique vous n'apprendrez peut-être rien de tout cela, mais vous apprendrez l'essentiel : goûter l'orange ! Voilà le travail spirituel. Ne pas accumuler tellement de connaissances théoriques, mais « manger » l'orange, c'est-à-dire appliquer, pratiquer. C'est plus difficile, cela demande des efforts, mais c'est à cette seule condition qu'on se transformera.

Bien sûr, on ne peut pas nier qu'il soit intéressant ou même utile de connaître les tentatives que les humains ont faites depuis des siècles et des millénaires pour percer les mystères de l'univers et se rapprocher de la Divinité, mais cela ne suffit pas. Puisque ces religions et ces systèmes philosophiques ne parlent que de notre divinisation, de notre splendeur, de notre perfection, il faut faire un effort pour réaliser cet idéal. N'imitez pas tous ces gens qui se pressent pour aller suivre des conférences érudites sur la sagesse et la science des Initiés du passé, sans s'apercevoir qu'eux-mêmes restent petits, mesquins, faibles et incapables de conduire raisonnablement leur vie. C'est ridicule, ce n'est pas cela la spiritualité.

Préférer les qualités morales au talent

Lorsqu'un homme ou une femme manifeste de grandes aptitudes pour l'art, ou les sciences, ou le sport, tous sont émerveillés, tous l'apprécient ; ils ne s'occupent pas de savoir s'il est bon, juste, honnête, généreux. Non, le talent, c'est ce que tous regardent, admirent et essaient de cultiver. C'est pourquoi maintenant la terre est peuplée de gens doués, talentueux, c'est formidable, ça pullule. Mais pourquoi tous ces dons, ces capacités, ces talents ne peuvent-ils pas sauver le monde ? Justement, parce qu'ils ne suffisent pas. C'est magnifique d'avoir reçu de la Providence des dons de poète, de musicien, de physicien, d'économiste ou de nageur, etc., et de les développer, mais le plus important, c'est de vivre en accord avec les lois divines, c'est-à-dire de travailler chaque jour à devenir plus sage, plus honnête, plus généreux, plus maître de soi. Le monde a davantage besoin d'êtres capables de manifester des qualités morales que d'artistes, de scientifiques ou de sportifs, etc. Alors, attention, vous aussi, ne vous laissez pas tellement impressionner par ces gens doués et talentueux et n'ayez jamais pour idéal de devenir comme eux. Votre idéal doit être le plus haut idéal : vous rapprocher chaque jour de la perfection. Et la perfection, c'est de devenir lumineux, chaleureux, vivifiant comme le soleil afin d'éveiller, d'éclairer, de stimuler et de fertiliser toutes les créatures.

Être content de son sort et mécontent de soi

Il y a plusieurs façons d'être content. La première est celle des animaux : ils sont satisfaits de leur sort, ils ne voient pas leurs limitations et ils ne cherchent donc pas à en sortir pour progresser. Mais cette mentalité, normale pour les animaux, n'est pas bénéfique pour les humains… bien que beaucoup s'en contentent. Une seconde façon d'être satisfait de son sort s'appelle plutôt acceptation. L'homme comprend que les épreuves qu'il traverse sont le résultat de ses erreurs passées et il les supporte. Mais il ne s'arrête pas là : il sait qu'il doit faire un effort pour réparer ces erreurs, pour combler ces lacunes. Et voilà la sagesse. Il faut accepter son sort comme conséquence des fautes que l'on a commises dans des existences antérieures, mais ne jamais se satisfaire de son degré d'évolution actuel et vouloir toujours progresser.

Le mécontentement de soi est donc un sentiment qui peut vous stimuler, vous pousser à vous améliorer. Mais pour que ce mécontentement ne devienne pas une obsession destructrice, il faut rétablir l'équilibre. Comment ? En étant content des autres. Cette attitude intérieure vous empêchera de tomber dans un état trop négatif qui pourrait vous amener au complet découragement.

Trouvez le beau et le bien chez tous les êtres et particulièrement chez ceux qui ont contribué par leur génie et leurs vertus, à l'évolution de l'humanité. Ainsi vous serez toujours émerveillé et vous ne courrez aucun danger de sombrer dans le désespoir.

Le travail spirituel ne reste jamais sans résultats

Rien n'est plus important, plus salutaire, que de prendre goût aux activités spirituelles, de les aimer et de ne plus laisser passer une seule journée sans se lier au Ciel, méditer, prier… Plusieurs fois par jour arrêtez-vous pendant quelques minutes, et tâchez de trouver en vous-même votre point d'équilibre, votre centre divin. Vous commencerez alors à sentir que, dans toutes les circonstances de la vie, vous possédez au-dedans de vous un élément éternel, immortel, indestructible… Même si cela ne se voit pas, même si personne n'apprécie vos efforts, même si dans le plan matériel vous n'en retirez aucun bénéfice, ne vous arrêtez jamais d'amasser des richesses spirituelles, vous deviendrez intérieurement plus libre, plus fort, vous planerez au-dessus des événements. Ce travail spirituel est la seule richesse, le seul bien qui soit vraiment à vous. Tout le reste peut vous être enlevé ; seul votre travail est à vous pour toujours.

La régénération de nos corps physique, astral et mental

Chaque pensée, chaque sentiment, chaque désir, chaque acte a la propriété d'attirer de l'espace les éléments matériels qui lui correspondent. Des pensées, des sentiments, des désirs et des actes lumineux, désintéressés, soutenus par une volonté ferme, attirent des particules d'une matière pure, incorruptible. Si par la qualité de votre vie psychique vous travaillez chaque jour à attirer cette matière, elle entre et s'installe dans tout votre organisme, elle y trouve sa place, chasse toutes les vieilles particules poussiéreuses, ternes, moisies. C'est ainsi que, peu à peu, vous parvenez à renouveler vos corps physique, astral, mental.

En contemplant le monde divin sous toutes ses formes de lumière, de beauté, de musique, d'harmonie, vous recueillez des particules nouvelles ; et puisque chacune est vivante, elle ne vient pas seule, elle amène avec elle les forces, les esprits qui lui correspondent. Votre tâche est donc de travailler tous les jours à remplacer en vous les particules déjà vieillies par de nouvelles particules célestes et rayonnantes.

Quelqu'un dira : « Mais pourquoi se donner tellement de mal pour des résultats qui ne dureront qu'une existence ? Est-ce que ça en vaut la peine ? » Oui, car en réalité, c'est le seul travail dont les résultats sont définitifs. Quand vous quitterez la terre, les seules richesses que vous emporterez sont les richesses intérieures que vous aurez acquises grâce à vos efforts. Et lorsque vous reviendrez pour une nouvelle incarnation, vous les ramènerez avec vous : dès la conception, dès la gestation, la matière de vos corps physique, astral, mental, sera modelée, façonnée exactement d'après les qualités et les vertus que vous aurez développées pendant l'actuelle incarnation.

Cherchez chaque jour votre nourriture spirituelle

Le matin, quand vous regardez le soleil, pensez que ces rayons qui viennent jusqu'à vous sont des êtres vivants qui peuvent vous aider à résoudre vos problèmes de la journée ; mais seulement ceux de la journée, pas ceux du lendemain. Le lendemain vous devrez de nouveau aller les consulter, et encore pour une journée seulement. Ils ne vous répondront jamais pour deux ou trois jours à l'avance. Ils diront : « Ne t'inquiète pas. Viens encore demain et nous te répondrons. » Chaque jour, quand vous mangez, vous ne faites pas dans votre estomac des provisions pour une semaine, mais seulement pour la journée : vous mangez pour aujourd'hui, et demain vous recommencerez.

Eh bien, avec la lumière ce doit être la même chose, car la lumière est une nourriture que vous devez chaque jour absorber et digérer pour qu'elle devienne en vous sentiments, pensées, inspirations…

Pourquoi n'a-t-on pas envers la lumière la même logique qu'envers la nourriture ? On dit : « C'est vrai, j'ai mangé hier, mais cela ne compte plus, je veux manger aujourd'hui. » Il en est de même pour la lumière : c'est quotidiennement que vous en avez besoin pour vous nourrir.

Révisez périodiquement votre vie

Il est salutaire pour votre bon développement de vous habituer à réviser périodiquement votre vie. Pourquoi ? Parce que trop souvent, à cause des activités et des préoccupations auxquelles vous êtes confronté, votre vie tend à prendre une orientation qui vous éloigne de plus en plus de votre idéal spirituel. Vous oubliez que vous ne resterez que peu de temps sur la terre, que vous devrez laisser ici toutes vos acquisitions matérielles ainsi que vos titres et votre position sociale que vous vous donnez tellement de mal à obtenir. Vous direz que tout le monde sait cela. Oui, tout le monde le sait, mais tout le monde l'oublie, et vous aussi, vous vous laissez entraîner par les exemples que vous voyez autour de vous. C'est pourquoi il est indispensable de faire de temps en temps une pause pour regarder en arrière, analyser la direction que vous êtes en train de prendre, les activités dans lesquelles vous êtes en train de vous engager, et faire chaque fois un triage pour ne conserver que l'essentiel.

Accordez le but et les moyens

Une des raisons pour lesquelles vous ne progressez pas dans votre travail spirituel, c'est que vous vous permettez d'avoir une quantité d'activités qui n'ont aucun rapport avec ce travail, tout en vous imaginant que ces activités ne vous éloigneront pas des sommets que vous voulez atteindre. Non, la réalité, c'est que si vous vous laissez aller à expérimenter ceci, à goûter cela, sans vous préoccuper de la qualité et de la nature de ces expériences, au moment où vous voudrez vous élever intérieurement, vous ne pourrez pas vous dégager. Du moment que vous nourrissez un grand idéal d'élévation spirituelle, vous êtes obligé pour le réaliser de renoncer un peu à certaines choses. Quand on a passé la nuit dans toutes sortes d'amusements et d'ébullitions, croyez-vous que le matin on sera bien disposé pour méditer ?

Si certains n'arrivent pas à progresser malgré les explications et les méthodes qui leur sont sans cesse présentées, c'est qu'ils ont encore trop de préoccupations et d'activités étrangères à la vie spirituelle : l'argent, le confort, les plaisirs, la position sociale... Je ne dis pas qu'on doit supprimer toutes ces préoccupations : elles ne sont pas absolument inconciliables avec la vie spirituelle, mais pour cela, il y a une question qu'il faut d'abord régler : celle des buts et des moyens. Regardez toutes les facultés que possèdent les humains, quel usage en font-ils ? Ils les ont mises au service de quoi ? De leur sexe, de leur ventre, de leurs passions. Eh bien, désormais, c'est le contraire que vous devez faire : mettre toutes vos facultés au service d'un haut idéal, au service de l'esprit, de la lumière.

Analysez-vous et vous verrez combien de dons divins vous possédez qui sont sacrifiés aux caprices de la nature inférieure. Et ensuite vous vous plaignez : « Je ne sais plus où j'en suis ! » C'est normal : quand on a souhaité et accumulé trop de choses hétéroclites, on se retrouve bientôt plongé jusqu'au cou dans les contradictions.

Prenez l'exemple du diamant : si le diamant est tellement pur, c'est parce qu'il est sans mélange, c'est du carbone pur. Ajoutez-lui un autre élément, il ne sera plus un diamant. Les disciples qui veulent tout goûter, tout toucher, tout expérimenter, tout connaître, perdent leur valeur de diamant, ils ne sont plus que des pierres opaques. Le véritable disciple doit se diriger vers un but unique, avoir un seul idéal, un seul désir, une seule nourriture. À ce moment-là, il vivra véritablement dans la lumière.

Corrigez rapidement vos erreurs

Ne laissez jamais vos malaises intérieurs s'amplifier au point de ne plus pouvoir y porter remède. Supposons que vous ayez mis imprudemment vos pieds dans un ciment liquide, et puis vous pensez à autre chose, vous négligez de les retirer : que va-t-il se passer ? Le ciment va durcir, il deviendra même si compact que, pour dégager vos pieds, il faudra aller chercher des outils, casser le ciment, et il se peut que vous soyez blessé. Eh bien, c'est ainsi que les choses se présentent dans la vie intérieure : si on ne pense pas à corriger rapidement certaines erreurs, certaines déficiences, ensuite c'est trop tard, la réparation coûte très cher et peut produire d'autres dégâts.

Fermez la porte aux entités inférieures

Nos faiblesses sont comme des portes par lesquelles les entités qui veulent nous nuire tâchent de se faufiler. Quand on s'abandonne à certaines faiblesses, on leur donne le droit de s'introduire en nous pour nous tourmenter. Si on leur résiste, si on ne succombe pas, elles n'ont aucun pouvoir sur nous. C'est pourquoi je vous le dis : les entités négatives n'ont que le pouvoir que vous leur donnez. Si vous ne voulez pas avoir affaire à elles, ne leur ouvrez pas la porte ! Elles ne vous forcent pas, elles vous font seulement des suggestions, et c'est vous qui dites oui. La plupart des gens s'imaginent que leurs malheurs arrivent d'un seul coup, comme ça, brusquement. Non, ils les ont préparés, ils les ont invités, ils leur ont ouvert la porte. Comment ? En se laissant aller à certaines convoitises, certaines faiblesses, certaines transgressions : c'est à ce moment précis que les diables trouvent la porte ouverte et entrent. Alors, attention, tenez bien vos portes fermées pour eux.

Les idées déterminent les actes

Vous dites que vous faites des efforts pour vous transformer et que vous n'y arrivez pas, que toutes vos bonnes résolutions ne servent à rien ? Ne vous découragez pas, les transformations profondes ne se font pas tout de suite, il faut du temps. Si vous maintenez vos bonnes résolutions sans cesse présentes dans votre tête, tôt ou tard, vous finirez par agir comme vous le désirez.

Regardez un serpent : lorsqu'il veut se faufiler dans un trou, il commence par y introduire sa tête et quelle que soit la longueur de son corps, la queue est finalement obligée de suivre. Comme il avance en décrivant une sinusoïde, sa queue peut donner l'impression d'aller en sens inverse de sa tête, mais en réalité elle finit toujours par passer là où la tête est passée : car elles ne sont pas séparées, et la queue suit toujours la tête. Symboliquement, la tête représente la faculté de réfléchir, de raisonner, de prendre telle ou telle orientation, et obligatoirement le reste du corps, c'est-à-dire l'exécution, l'application suit. Voilà l'avantage de chercher toujours à penser juste ; même si, pour l'instant, vous n'agissez pas en accord avec vos idées, en insistant, en continuant à maintenir au moins une bonne attitude mentale, vous finissez par entraîner toutes les forces de résistance en vous et par agir comme l'esprit l'a dicté.

On n'a pas encore saisi l'importance d'une bonne philosophie. Beaucoup s'imaginent qu'ils peuvent laisser entrer n'importe quelles idées dans leur tête sans que leur comportement en soit changé. Non, ils n'ont pas encore compris que la queue suit la tête ! Alors, attention, chacun doit surveiller chaque jour les pensées qu'il laisse entrer dans sa tête : si elles sont anarchiques, immorales, un jour ou l'autre sa conduite sera aussi anarchique et immorale. La loi est véridique pour le mal comme pour le bien.

Nos efforts comptent plus que les résultats

Ce qui compte pour le Ciel, ce ne sont pas les succès que vous remportez, mais les efforts que vous faites, car seuls les efforts vous maintiennent sur le bon chemin, alors que les succès vous poussent souvent à relâcher votre vigilance. Même si vous n'avez pas réussi, même si vous n'avez obtenu aucun résultat, cela ne fait rien : au moins vous avez travaillé.

Ne demandez donc pas le succès, il ne dépend pas de vous, mais du Ciel qui vous le donnera quand il le jugera bon. Ce qui dépend de vous, ce sont les efforts, car le Ciel ne peut pas les faire à votre place. De même que personne ne peut manger à votre place, le Ciel ne peut pas manger pour vous, c'est-à-dire faire des efforts pour vous ; c'est à vous de les faire. Et le succès, c'est lui qui le détermine quand il veut et comme il veut, suivant ce qu'il trouve préférable pour votre évolution.

D'ailleurs, ce sont les efforts qui portent en eux-mêmes leur récompense. Après chaque effort, après chaque exercice de la pensée, la vie prend une autre couleur et un autre goût. Alors, travaillez, c'est tout, sans jamais fixer de délai pour la réalisation de vos aspirations spirituelles. Si vous fixez une date pour obtenir tel ou tel résultat intérieur, la victoire sur tel ou tel de vos défauts, vous ne réussirez qu'à vous crisper et votre développement ne se fera pas aussi harmonieusement. Il faut travailler à se perfectionner sans fixer de date, en pensant qu'on a l'éternité devant soi et qu'un jour ou l'autre on arrivera à atteindre cette perfection que l'on désire. Arrêtez-vous seulement sur la beauté du travail que vous avez entrepris et dites : « Puisque c'est si beau, je ne me préoccupe pas de savoir combien de siècles ou de millénaires il me faudra pour y arriver ! »

Accepter les échecs

Celui qui sent qu'il n'arrive pas à manifester les qualités sur lesquelles il travaille ne doit pas se décourager ou se révolter. Devant les échecs il faut être humble, sinon cela prouve que notre raisonnement n'est pas au point. Et c'est toujours la faute de la nature inférieure qui a réussi à se faufiler à un moment où elle a trouvé des conditions très favorables. Un échec, c'est comme si le Ciel avait dit à certaines personnes ou aux circonstances : « Allez le mordre un peu, dites-lui quelques mots pour voir ce qui va se passer. » Et ce qui se passe, c'est un remue-ménage qui prouve que vous n'étiez pas prêt à affronter les épreuves. Les échecs ne doivent ni vous attrister ni vous décourager, sinon cela prouve que vous n'êtes qu'un prétentieux qui désire des choses encore irréalisables ; si vous ne surmontez pas votre déception, vous finirez par vous détruire. Il est permis de s'attrister, mais seulement des insuccès ou des malheurs des autres, pas de vos propres désirs, ambitions ou prétentions inassouvis.

Si vous voyez que vous n'arrivez pas encore à acquérir une qualité, à vaincre un défaut, à triompher d'une mauvaise habitude, au lieu de vous révolter ou de vous décourager, dites-vous seulement : « C'est que dans le passé je n'ai pas fait mon travail comme il fallait, et maintenant tout est difficile. » Voilà ce que vous devez vous dire et vous remettre tout de suite au travail. Oui, même s'il ne vous reste qu'une année à vivre, une seule année, il faut continuer, continuer… Vous verrez tous les changements qui s'ensuivront. Car on emporte avec soi toutes les acquisitions spirituelles que l'on a faites si on a cherché sincèrement à se perfectionner.

L'imagination comme méthode de travail sur soi-même

Souvent, en constatant combien il est difficile de se corriger de ses défauts, on se sent malheureux, découragé. En réalité, au lieu de s'arrêter sur ses faiblesses, qui résultent des désordres auxquels on s'est laissé aller dans le passé, il vaut mieux se préoccuper de ce qu'on a à faire pour l'avenir, et se dire : « Maintenant, je vais tout réparer, tout reconstruire », et chaque jour, avec une foi inébranlable, une conviction absolue, travailler dans ce sens, c'est-à-dire prendre tous les éléments que Dieu nous a donnés : l'imagination, la pensée, le sentiment, et se recréer, se modeler tel que l'on désirerait être. Imaginez-vous entouré de lumière, soutenant de votre amour, de votre générosité tous ceux qui en ont besoin, résistant aux difficultés et aux tentations… Peu à peu, les images que vous formez de ces qualités deviennent vivantes, elles agissent sur vous, elles vous transforment en même temps qu'elles travaillent à attirer de l'univers les éléments appropriés pour les introduire en vous.

Bien sûr, beaucoup de temps et de travail sont nécessaires avant de parvenir à un résultat, mais un jour ce résultat est là, vous ne pouvez pas en douter. Vous sentez au-dessus de vous une entité vivante qui vous protège, vous instruit, vous purifie, vous éclaire et, dans les cas difficiles, vous apporte le soutien dont vous avez besoin. Quand vous aurez formé pendant longtemps cette image de perfection dans le plan mental, peu à peu elle descendra dans le plan physique pour s'y concrétiser.

La musique, support du travail spirituel

Apprenez à utiliser la musique pour faire un travail intérieur : elle vous aidera à réaliser tous vos meilleurs désirs. Vous souhaitez tellement de bonnes choses, mais vous ne savez que faire pour les obtenir. Or, la musique, justement, est une aide très puissante pour la réalisation. Alors, en l’écoutant, au lieu de laisser flotter votre pensée à droite et à gauche, jetez-vous sur ce que vous souhaitez le plus. Si c’est la santé, imaginez-vous comme un être bien portant : quoi que vous fassiez, que vous marchiez, parliez, mangiez, vous êtes d’une santé rayonnante et vous rendez tout le monde bien portant autour de vous. Si c’est la lumière, l’intelligence qui vous manque, utilisez la musique pour imaginer que vous apprenez, que vous comprenez, que la lumière vous pénètre et même que vous la propagez et la donnez aux autres. Si vous voulez acquérir la beauté, la force, la volonté ou la stabilité, agissez de même. Faites ce travail dans tous les domaines où vous sentez qu’il y a en vous une lacune.

L’influence bénéfique d’une collectivité spirituelle

Combien de gens sentent qu’ils ne sont pas sur le bon chemin : leur âme, leur conscience se révolte et ils décident de changer leur façon de vivre. Ils y arrivent un peu pendant quelque temps, mais de nouveau ils se laissent égarer. Alors, ils regrettent, ils prient, ils prennent de nouvelles décisions, mais là encore, cela ne dure pas. Bien sûr, c'est déjà quelque chose de se rendre compte qu'on est en train de s'égarer, mais ce n'est pas suffisant, il faut arriver à persévérer dans ses bonnes résolutions. C'est pourquoi une collectivité spirituelle, une fraternité spirituelle est tellement nécessaire, indispensable même, pour notre bien, parce qu'elle nous donne les meilleures conditions pour nous maintenir sur le bon chemin. Quand il arrive qu'on soit fatigué et qu'on ait envie de tout abandonner, en voyant que les autres persévèrent on est encouragé, entraîné.

À moins de cas tout à fait exceptionnels les humains ont besoin d'être soutenus, stimulés, car il y a toujours un moment ou un autre où leur ardeur spirituelle faiblit. Vous direz peut-être que vous n'avez aucune envie d'être influencé, que vous voulez être libre de faire ce qui vous plaît, c'est pourquoi vous ne tenez pas à entrer dans une collectivité où vous vous sentirez limité. Eh bien, c'est que vous n'êtes pas intelligent. Quelqu'un d'intelligent comprend qu'il a besoin d'être protégé et il ira justement se mettre dans une situation où il sera empêché de faire des folies, et libre au contraire de se lancer dans des entreprises bénéfiques, lumineuses.

Ne comptez que sur votre travail

Du moment que votre activité est bénéfique et désintéressée, ayez confiance dans les lois divines : vos efforts seront récompensés un jour. Vous prononcez un mot, vous faites un geste, vous avez un désir, une pensée : aussitôt ils sont enregistrés, classés, et un jour ils donnent des résultats. C'est sur ces lois qu'il faut compter ; tout peut changer autour de vous, sauf ces lois. Vos amis peuvent vous trahir, votre famille peut être occupée ailleurs et vous oublier, mais ces lois seront toujours là pour vous envoyer exactement ce que vous méritez d'après la façon dont vous aurez travaillé. Ne comptez donc sur rien d'autre que sur votre travail.

Vous direz : « Mais le Seigneur, les anges, les saints, on ne peut pas compter sur eux ? » Si, mais à condition que vous ayez travaillé. Si vous n'avez planté aucune graine, même si vous appelez le Seigneur à l'aide, rien ne poussera. Le Seigneur a fait des lois que les humains doivent connaître, et s'ils ne veulent pas les connaître, Il ne va pas maintenant bouleverser l'ordre de l'univers pour faire plaisir à des ignorants. Plantez une graine, toutes les lois de la nature vont contribuer à la faire pousser. Cela signifie qu'il faut compter sur son travail d'abord, et ensuite sur le Seigneur, c'est-à-dire sur les lois qu'Il a établies dans l'univers.

Vivez dans la poésie

Quand on va dans les rues ou les magasins, quand on prend le train, l'autobus ou le métro, on ne voit presque partout que des visages ternes, tristes, crispés, fermés, révoltés. Eh bien, ce n'est pas un beau spectacle ! Et même si on n'a aucune raison d'être triste ou malheureux, en passant par là on est désagréablement influencé : on rentre chez soi avec un malaise qu'on communique à toute sa famille. Voilà la vie déplorable que les humains sont continuellement en train de se créer mutuellement. Pourquoi ne font-ils pas l'effort de présenter partout un visage ouvert, souriant, lumineux ? Ils ne savent pas comment vivre cette vie poétique grâce à laquelle ils seront émerveillés les uns des autres. La véritable poésie n'est pas dans la littérature, la véritable poésie est une qualité de la vie intérieure. Tout le monde aime la peinture, la musique, la danse, la sculpture, les arts, alors pourquoi ne pas mettre sa vie intérieure en harmonie avec ces couleurs, ces rythmes, ces formes, ces mélodies ?

C'est la poésie que l'on aime chez les êtres et que l'on cherche chez eux : quelque chose de léger, de lumineux, que l'on a besoin de regarder, de sentir, de respirer, quelque chose qui apaise, qui harmonise, qui inspire. Mais combien de gens, qui n'ont pas encore compris cela, vivent sans jamais se préoccuper de l'impression pénible qu'ils produisent sur les autres. Ils sont là, désagréables, bougons, les lèvres serrées, les sourcils froncés, le regard soupçonneux, et même s'ils essaient d'améliorer leur apparence extérieure par toutes sortes de trucs, leur vie intérieure prosaïque, ordinaire, ne cesse de transparaître.

Alors, désormais, cessez d'abandonner la poésie aux poètes qui l'écrivent. C'est la vie que vous menez qui doit être poétique. Eh oui, l'art nouveau, c'est d'apprendre à créer et à répandre la poésie tout autour de soi, à être chaleureux, expressif, lumineux, vivant !

Bien se connaître pour bien agir

Si vous ne vous connaissez pas bien, si vous n'avez pas une claire conscience de vos qualités et de vos défauts, de vos capacités et de vos faiblesses, vous ne pourrez pas réussir dans vos entreprises ni surtout vivre harmonieusement avec les autres créatures ; et de là s'ensuivront des complications, des heurts, des bagarres. On peut même faire cette observation, que la plupart des difficultés de la vie quotidienne viennent de ce que les êtres ne se connaissent pas eux-mêmes. Savoir ce que l'on est, ce que l'on représente, ce dont on est capable, c'est justement à ce sujet que l'on se trompe sans arrêt, et c'est très grave, les pires dangers sont là. Tout ce que vous entreprenez dans votre vie personnelle et votre vie sociale risque d'échouer si, à la base, vous n'avez pas placé une claire connaissance de votre caractère et de vos facultés.

« Partir du bon pied »

Comment vous faites le premier pas dans une entreprise, dans quel état, avec quelle intention, c'est de cela que dépendent la qualité de votre travail, les succès que vous obtiendrez, ou au contraire les échecs que vous subirez. Vous trouvez bizarre que d'un petit détail dépende tout un enchaînement de circonstances, mais étudiez-vous bien. Si vous sortez de chez vous dans un état d'agitation, vous déclenchez des forces chaotiques, et si vous allez dans cet état rendre visite à quelqu'un pour régler une affaire délicate, que va-t-il se passer ? Pendant tout le trajet ces forces s'agiteront en vous, et plus vous vous rapprocherez du but, plus vous serez agité et mal disposé. Alors, comment réglerez-vous cette question ? Au contraire, si vous avez fait un travail intérieur pour être calme, serein, plein d'amour, et que vous fassiez le premier pas dans cet état d'esprit, plus vous avancerez, plus vous serez dans les dispositions convenables pour arranger au mieux cette affaire avec la personne. C'est ce que vous appelez en France, « partir du bon pied ».

Éviter d'exprimer son mécontentement

Peu de gens ont mesuré la nocivité de cette habitude qu'ils ont de manifester leur mécontentement à propos de tout et de tout le monde, et de troubler ainsi l'harmonie partout où ils passent. Le mécontentement n'est acceptable que si on est mécontent de soi. Celui qui ne cesse d'exprimer son mécontentement à propos de Dieu, de l'existence et de la terre entière, doit savoir que cette attitude pernicieuse lui donnera intérieurement beaucoup de mauvais conseils. Et comme il ne peut empêcher que son sentiment se reflète dans son comportement et sa physionomie, de plus en plus son visage devient terne, son regard sombre, ses gestes brusques, sa voix dure, ce qui le rend antipathique aux autres. Car s'il est vrai que l'on a généralement tendance à trouver les mécontents plus intelligents que les autres, on ne les trouve pas agréables à vivre et on s'éloigne d'eux. Comment rester auprès de ceux qui n'ouvrent la bouche que pour critiquer et empester l'atmosphère par leurs plaintes et leurs récriminations ?

Aller au-devant des autres avec des récipients pleins

Partout, dans tous les pays, c'est la coutume d'apporter un cadeau aux personnes auxquelles on rend visite. C'est une très ancienne tradition basée sur une loi qui demande qu'on aille à la rencontre des autres avec le désir de leur apporter quelque chose. Si vous allez toujours trouver vos amis les mains vides, réellement ou symboliquement parlant, ils finiront par ne plus vous aimer, ils diront : « Mais qu'est-ce que c'est, cet être-là ? Quand il vient il est vide, et il me vide moi aussi. » De plus en plus ils commenceront à se méfier, à prendre des précautions, jusqu'au jour où ils vous fermeront complètement la porte de leur cœur et de leur âme. N'allez pas chez vos amis si vous n'avez pas au moins à leur apporter un bon regard, un bon sourire, quelques paroles chaleureuses qui sont des cadeaux vraiment vivants. Il faut toujours s'habituer à donner et à donner ce qui existe de plus bénéfique pour les êtres. Si vous savez travailler avec les forces positives de la nature, on vous estimera et on vous aimera.

Et puisque chaque geste est magique, tâchez de ne jamais saluer quelqu'un avec un récipient vide, surtout le matin, sinon sachez que, sans le vouloir, vous êtes en train de lui souhaiter le vide, la pauvreté, l'échec pour toute la journée. Si vous devez absolument transporter un récipient vide, mettez-y quelque chose dedans ; il n'est pas nécessaire que ce soit un contenu précieux : cela peut être de l'eau, qui est encore la chose la plus précieuse aux yeux du Créateur, ou n'importe quoi d'autre, et saluez les personnes que vous rencontrez avec la pensée que vous leur apportez la santé, la plénitude, le bonheur.

N'oubliez jamais qu'il y a en vous une terre magnifique à cultiver dont vous pouvez distribuer les fleurs et les fruits à tous ceux que vous rencontrez. C'est à cause de ce désir de donner toujours quelque chose de votre âme, de votre esprit, que la vie ne cessera de jaillir en vous.

La main,
instrument de communication et d'échanges

L'importance de la main apparaît particulièrement dans la vie quotidienne parce qu'elle sert de moyen de communication entre les êtres. Quand les gens se rencontrent ou se quittent, que font-ils ? Ils lèvent le bras pour se donner un salut, ou bien ils se serrent la main. C'est pourquoi il faut être particulièrement vigilant à propos de ce que l'on donne avec la main. Si vous saluez quelqu'un, c'est pour lui donner quelque chose de bon. Celui qui ne sait rien donner montre combien il est pauvre et misérable.

Évidemment, pour beaucoup, serrer une main n'est qu'un signe conventionnel qu'ils font machinalement ; dans ce cas il vaut mieux s'en abstenir. Mais pour ceux qui ont la conscience éveillée, c'est un geste formidablement significatif et opérant par lequel on peut encourager, consoler, vivifier les créatures et leur donner beaucoup d'amour. Il faut qu'un salut soit une vraie communion, qu'il soit chaleureux, harmonieux. Quand vous donnez une poignée de main à quelqu'un, vous devez sentir que le courant passe ; pour cela, au moment de lui tendre la main, respirez profondément (avec discrétion, bien sûr !) car une bonne respiration harmonise les échanges, et souhaitez-lui la santé, la paix, la lumière.

Que votre regard rayonne la vie divine

Si la majorité des humains ont appris plus ou moins à maîtriser leurs gestes et leurs paroles (ils ne se jettent pas sur le premier venu qui les irrite ou les attire pour le frapper ou l'embrasser, ils ne disent pas brutalement à chacun ce qu'ils pensent de lui), ils n'ont pas appris à maîtriser leurs regards qui ne cessent d'exprimer la convoitise, la sensualité, le mépris, l'hostilité… Comme un regard ne produit pas dans le plan physique des effets aussi visibles qu'un geste ou un mot, personne n'a jamais été condamné pour un regard. Et pourtant, que de troubles et de dégâts certains regards peuvent produire dans le plan subtil !

Le regard est une projection de forces, d'énergies bénéfiques ou maléfiques, ténébreuses ou lumineuses, c'est pourquoi il faut apprendre à le maîtriser, à l'éduquer, pour qu'il ne produise que des effets bénéfiques. La vie spirituelle commence aussi par l'éducation du regard. Tâchez de ne vous approcher des êtres qu'en leur donnant des regards d'amour désintéressé et de lumière, comme le soleil qui, en nous regardant chaque jour, nous envoie des ondes vivifiantes. Où que vous alliez, veillez à ce que votre regard soit sincère, clair, chaleureux, afin que les êtres que vous rencontrez reçoivent à travers vous quelques rayons de la vie divine.

Ne pas raconter ses soucis et ses chagrins

Vous croyez que vos soucis, vos chagrins peuvent émouvoir le cœur des autres, alors vous les racontez, vous les étalez dans l'espoir de les intéresser à votre sort. Mais eux ne cherchent qu'une chose : comment se débarrasser de vous au plus vite ! Eh oui, malheureusement ou heureusement, la nature humaine est ainsi faite : si vous voulez faire fuir tout le monde, parlez chaque jour de vos malheurs, de vos maladies, de vos soucis, vous verrez si on viendra longtemps vous écouter ! Alors, quelle attitude stupide ! Il vaut mieux cacher tous ces détails-là. En général les autres sont incapables de vous aider à trouver des solutions à vos problèmes, alors pourquoi aller les leur présenter ? Ils n'y peuvent rien. Donc, non seulement vous perdez votre temps à raconter inutilement vos affaires, mais vous baissez dans l'estime des gens, ils ne vous apprécient plus. Ils se rendent compte que vous n'êtes ni intelligent, ni fort, et ils tâchent de s'éloigner de vous.

Si vous ne voulez pas perdre vos amis, cachez-leur vos ennuis, ne leur dites rien, ne vous plaignez pas, mais liez-vous à toutes les puissances célestes, à toutes les entités lumineuses qui sont là, prêtes à vous aider. À ce moment-là, vous devenez beaucoup plus fort, plus puissant, plus lumineux, et cette force et cette lumière qui émanent de vous attirent les êtres, car ils sentent que vous êtes différent des autres : vous supportez les difficultés, vous résistez aux épreuves sans vous plaindre. Alors, ils vous admirent, ils viennent auprès de vous pour prendre modèle et même puiser des forces, et ce sont là des amis que vous gagnez pour l'éternité.

Donc, quelles que soient vos difficultés, n'en accablez pas les autres. Grâce à cet effort de désintéressement, de générosité, de courage, non seulement vous arriverez à mieux résoudre vos problèmes, mais encore les entités célestes, voyant le travail gigantesque que vous aurez entrepris sur vous-même, vous apporteront leur aide.

Éviter de critiquer – La parole positive

Beaucoup n'ont pas appris à maîtriser leurs pensées et leurs sentiments, et dans les conversations ils se laissent aller à raconter n'importe quoi sur les uns et les autres. Eh bien, sachez que c'est très grave, car si vous avez calomnié quelqu'un, si vous lui avez enlevé son prestige ou son honneur, il peut s'ensuivre des événements fâcheux pour lui, pour son évolution, et le Ciel vous condamnera. Bien sûr, on dira : « Mais je ne pensais pas vraiment les mauvaises paroles que j'ai dites. » C'est possible, mais il faut savoir que des esprits malfaisants s'emparent de nos paroles négatives et, tôt ou tard, les réalisent. La parole, c'est comme un support matériel que nous leur fournissons et dont ils se servent pour l'exécution de leurs mauvais desseins. On ne peut pas le leur reprocher, c'est à nous de ne pas leur fournir les conditions pour faire du mal.

Il faut donc être vigilant : dès que vous vous rendez compte que vous êtes allé trop loin dans vos critiques ou vos accusations contre quelqu'un, efforcez-vous de trouver rapidement d'autres paroles, d'autres pensées, d'autres forces qui répareront les dégâts. Ce n'est qu'à cette condition que la loi vous tiendra quitte. D'une façon générale, il vaut mieux ne jamais finir une conversation sur des paroles négatives. Même si on est obligé de faire des critiques justifiées sur quelqu'un, il faut tâcher de finir par des paroles positives à son sujet. Il y a toujours quelque chose de bon dans chaque créature, alors, trouvez chez lui au moins une bonne qualité, mentionnez-la et arrêtez-vous.

Un bon critère pour se connaître et savoir où on en est, c'est d'analyser ses paroles : parlez-vous à la légère ? Ce que vous dites est-il décousu, excessif, intéressé, malveillant ?… Une fois que vous vous êtes analysé, surveillez-vous. Avant de parler, demandez-vous pour quelle raison vous voulez ouvrir la bouche : est-ce pour faire du bien, pour éclairer quelqu'un, le libérer, le guérir, ou bien l'égarer, régler des comptes, l'humilier et assouvir ainsi les tendances de votre nature inférieure ? Dans ce cas, il est préférable de vous taire. Et d'une façon générale, il vaut mieux parler moins. C'est la parole souvent qui maintient les êtres dans les degrés inférieurs de l'évolution.

Alors, à l'avenir, faites attention. Quelles que soient les personnes que vous rencontrez, tâchez de parler sur des sujets utiles, constructifs, afin qu'en repartant chez soi, chacun puisse penser des autres : « Ah, que ces êtres soient bénis pour toutes leurs bonnes paroles qui m'ont donné du courage, une meilleure vision des choses, qui m'ont inspiré le désir de rester toujours sur le chemin de la lumière ! »

La langue n'a pas été donnée aux hommes pour affaiblir ou anéantir les autres. Son rôle est de relever celui qui est tombé, d'éclairer celui qui se trouve dans l'obscurité, de guider ceux qui se sont égarés. La langue n'a été donnée aux hommes que pour bénir, remercier, communier dans la sagesse, la justice et l'amour. Ceux qui méconnaissent la valeur de cette richesse qu'ils possèdent la perdront un jour, dans cette incarnation ou dans une autre.

Soyez prudent dans vos paroles

Il faut être prudent quand on parle, ne pas prononcer de grands mots, ne pas s'engager à la légère, parce qu'on risque d'avoir les plus grandes difficultés à tenir ces engagements.

Un homme jure qu'il ne se liera jamais à telle ou telle personne, qu'il ne fera jamais comme tel ou tel dont il condamne les actes… Et voilà que peu de temps après il le fait ! Pourquoi ? Parce qu'il y a des entités dans le monde invisible qui, voyant cet homme si sûr de lui, ont envie de le mettre à l'épreuve : elles le tentent pour voir de quoi il est capable, et très vite il succombe. C'est ainsi que beaucoup font souvent tout le contraire de ce qu'ils avaient solennellement affirmé ou promis. Il y a des pays où, après avoir prononcé certaines paroles, on a l'habitude de toucher du bois comme pour conjurer le mauvais sort. Cette coutume peut paraître une superstition, mais elle est significative : elle montre bien que, subconsciemment, certains êtres sentent que parler avec trop d'assurance est toujours un peu risqué.

Toute promesse est un lien

Quand on fait une promesse à quelqu'un, il faut s'efforcer de la tenir. Beaucoup font de beaux discours : ils promettent ceci ou cela, les promesses ne leur coûtent pas beaucoup. Évidemment, il est plus facile de dire quelque chose que de le faire. Certains, une fois qu'ils ont promis, sont tranquilles : pourquoi tenir sa promesse ? Eh bien, sachez que pour la Science initiatique, une promesse est comme une signature, un engagement, un contrat. Dans le plan éthérique, les paroles s'enregistrent et c'est exactement comme si vous aviez écrit cette promesse : rien ni personne au monde ne peut vous en libérer, excepté la personne à qui vous l'avez faite. Si elle est noble, compréhensive, elle peut vous en dégager ; sinon vous devez l'accomplir. Vous direz : « Mais je m'adresserai au Ciel, je demanderai au Seigneur de me délier de cette promesse. » Même le Seigneur ne le fera pas, parce qu'Il ne peut pas aller contre les lois qu'Il a Lui-même établies.

C'est à vous, avant de faire une promesse, de savoir si vous pourrez la tenir. Vous ne devez pas dire : « Bah ! je peux bien promettre, ça ne m'engage à rien. » Eh si, justement ! Dans le plan physique, peut-être que si vous n'avez pas fait cette promesse par écrit, on n'aura pas de preuve pour vous condamner, mais dans le monde subtil vos paroles existent toujours. Ce n'est pas un papier, mais un film parlant ! Oui, vous et vos paroles avez été enregistrés.

La parole magique

Apprenez à parler avec amour et douceur, non seulement aux humains mais aussi aux animaux, aux fleurs, aux oiseaux, aux arbres, à toute la nature, car c'est une habitude divine. Celui qui sait dire les mots qui inspirent, qui vivifient, possède une baguette magique dans sa bouche, et il ne prononce jamais ces mots en vain, parce qu'il y a toujours dans la nature un des quatre éléments, la terre, l'eau, l'air ou le feu qui est là, attentif, attendant le moment d'habiller tout ce qu'il a exprimé. Il peut arriver que la réalisation se produise très loin de celui qui en a donné les germes, mais sachez qu'elle se produit toujours. De même que le vent emporte les graines et les sème au loin, de même nos bonnes paroles s'envolent et vont produire loin de nos yeux des résultats magnifiques. Si vous avez appris à maîtriser vos pensées et vos sentiments, à vous mettre dans un état d'harmonie, de pureté, de lumière, votre parole produira des ondes qui agiront bénéfiquement sur toute la nature.

Le contact vivant avec la nature

Si la main est un moyen d'entrer en relation avec les êtres humains, elle est aussi un moyen d'entrer en relation avec la nature. C'est pourquoi dès que vous ouvrez votre fenêtre ou votre porte le matin, saluez toute la nature, le ciel, le soleil, les arbres, les lacs, les étoiles… Vous demanderez : « À quoi ça sert ?… » À être tout de suite lié à la source de la vie. Oui, car la nature nous répond. Quand vous passez près d'un lac, d'une montagne, d'une forêt, saluez-les, parlez-leur… Quand vous sortez le matin, saluez toute la nature et les anges des quatre éléments, les anges de l'air, de la terre, de l'eau et du feu, et même les gnomes, les ondines, les sylphes, les salamandres. Et aux arbres, aux pierres, au vent, dites aussi : « Salut ! Salut ! »

Essayez, faites-le, et vous sentirez intérieurement quelque chose qui s'équilibre, qui s'harmonise : beaucoup d'obscurités et d'incompréhensions vous quitteront, tout simplement parce que vous aurez décidé de saluer la nature vivante et les créatures qui l'habitent. Le jour où vous saurez entretenir des liens vivants avec toute la nature, vous sentirez la vraie vie entrer en vous.

Ne pas choisir la facilité mais ce qui sert à notre évolution

Consciemment ou inconsciemment, les créatures sont poussées à écourter certains états et à en prolonger d'autres. Si on souffre, si on est chagriné, on voudrait que cela finisse vite, tandis que si on est heureux, on aimerait bien que cela dure éternellement. Et c'est normal. Malheureusement, cette tendance ne se manifeste pas toujours quand il faut ni dans le bon sens. Quand il s'agit de travailler, de faire des efforts, de réfléchir, de se lier au Ciel, on a envie que ce soit vite terminé, alors que s'il s'agit de manger, de boire, d'avoir des distractions et des plaisirs, on trouve que cela ne dure jamais assez longtemps. Eh bien, ce n'est pas là le comportement d'un véritable spiritualiste. Quand il éprouve une sensation agréable, mais qui ne lui apportera aucun enrichissement intérieur, un spiritualiste en diminue la durée ou même l'interrompt. Mais quand il a un travail ou un effort à faire, il tâche au contraire de le prolonger. Car il a compris tout ce qui se cache de riche et de profond dans chaque effort, alors que les joies et les plaisirs ne servent souvent qu'à le chloroformer, le maintenir dans la faiblesse et l'éloigner de la vérité.

Alors, devant toutes les possibilités qui se présentent, habituez-vous à vous poser la question : « Qu'est-ce que ça donnera pour mon avancement ? » Quand vous voyez que cela ne donnera pas grand-chose, que ce sera surtout du temps et des énergies gaspillés, ne vous y arrêtez pas. La vie présente toutes sortes de tentations et si on n'a pas encore suffisamment appris à se contrôler pour leur résister, on succombe et ensuite on regrette parce qu'on sent qu'on s'est affaibli, avili. On pourrait éviter beaucoup d'erreurs si, avant de se lancer dans une aventure, on se disait : « En faisant ceci ou cela, je satisferai mes désirs, c'est entendu, mais quelles seront les répercussions de ma conduite sur moi et sur mon entourage ? » Celui qui ne se pose pas ces questions est ensuite tout étonné de ce qui lui arrive. Il ne doit pas être étonné, ce qui lui arrive était à prévoir, car les conséquences sont toujours prévisibles.

Nous faisons des progrès grâce à ce qui nous résiste

Cessez de vous plaindre des difficultés et des obstacles que vous rencontrez dans votre vie, car ce sont eux qui vous permettent de progresser. Pourquoi les bateaux peuvent-ils avancer sur l'eau et les avions voler dans l'air ? Parce que l'eau et l'air présentent une résistance. Il n'est pas possible d'avancer s'il n'existe pas une matière qui présente une certaine résistance. Les obstacles, les difficultés jouent le même rôle que l'eau ou l'air, ils font partie de l'ordre naturel des choses, c'est à nous de savoir les utiliser pour avancer.

Quand il vous arrive de faire des excursions en montagne, n'avez-vous pas remarqué que ce sont les aspérités auxquelles vous vous accrochez qui vous permettent de grimper ? Alors, pourquoi désirez-vous que votre vie soit lisse, qu'elle n'ait pas d'aspérités ? Dans ces conditions, jamais vous n'allez arriver jusqu'au sommet, et surtout, pour redescendre, quelle dégringolade !... Par bonheur pour vous, la vie est pleine d'aspérités, c'est grâce à elles que vous êtes encore vivants. Oui, c'est pourquoi on ne doit pas demander que sa vie soit lisse, sans souffrances, sans inconvénients, sans chagrins, sans ennemis, sinon on n'aura rien à quoi s'accrocher pour monter et on va glisser. Tous ceux qui souhaitent vivre dans la facilité et l'opulence ne se rendent pas compte qu'en réalité, c'est leur propre malheur qu'ils sont en train de demander.

Ne pas fuir les efforts et les responsabilités

Ceux qui croient pouvoir échapper à leurs responsabilités et à leurs obligations pour goûter une vie plus agréable ne connaissent pas les lois sévères qui régissent la destinée. L'un trouve sa famille désagréable, son travail pénible, son entourage ennuyeux et veut les quitter. L'autre fuit toutes les responsabilités dans la société. Une femme, fatiguée de son mari, en cherche un autre plus amusant, plus séduisant. Eh bien, ce genre d'attitude n'est pas recommandé. Il n'est pas absolument interdit évidemment de quitter son travail, son entourage ou même sa famille, mais pas avant d'avoir rempli tous ses devoirs envers eux, sinon on est contraint par la loi à retrouver de nouveau tous ces gens qu'on n'a pas pu supporter. Si vous ne voulez plus jamais revoir quelqu'un, réglez-lui toutes vos dettes, vous ne le reverrez plus. Voilà une loi que les gens ne connaissent pas. Ils font tout pour quitter quelqu'un qui les dérange, couper le lien avec lui, mais combien de fois déjà le karma a obligé un homme à retrouver ses parents, sa femme, ses enfants, ou son patron dans une autre incarnation !

Si la destinée nous a placés dans certaines conditions, il y a une raison à cela. Face aux difficultés du monde extérieur, nous devons devenir résistants. Comment faire ? Comme les sportifs qui s'entraînent tous les jours, ou comme les explorateurs, les alpinistes, les navigateurs, qui s'exercent à supporter le chaud, le froid, la fatigue, les privations de nourriture ou de sommeil, et qui sont capables d'affronter les intempéries et les plus grands dangers. Vous aussi, entraînez-vous à résister, à tenir bon, pas tant physiquement, bien sûr, que psychiquement, moralement. Évidemment, s'il arrive un moment où vous voyez que vous ne pouvez plus supporter la situation, éloignez-vous un peu, mais revenez de nouveau pour faire face jusqu'à ce que vous soyez devenu vraiment solide.

Si vous savez choisir le chemin difficile, le Seigneur vous enverra des anges pour vous aider, mais si vous choisissez la route facile, un jour ou l'autre vous serez obligé de revenir pour assumer toutes ces responsabilités que vous avez fuies.

Les excuses ne suffisent pas, il faut réparer ses erreurs

Lorsque vous avez mal agi envers quelqu'un, il ne suffit pas de vous excuser : vous devez réparer. Ce n'est qu'à cette condition que vous serez quittes. Dire à celui que vous avez lésé : « Je suis navré, pardonnez-moi… » ne suffit pas, et la loi divine vous poursuivra jusqu'à ce que vous ayez réparé le tort qu'il a subi. Vous direz : « Mais si cette personne me pardonne ? » Non, la question n'est pas réglée si facilement, car la loi et la personne, ce n'est pas la même chose. La personne peut vous pardonner ; la loi, elle, ne vous pardonne pas, elle vous poursuit jusqu'à ce que vous ayez réparé. Évidemment, celui qui pardonne fait preuve de noblesse, de générosité, il se dégage, se libère des tourments qui le maintenaient dans les régions inférieures du plan astral. Si Jésus a dit qu'il faut pardonner à ses ennemis, c'est pour que l'homme se libère des pensées négatives et des rancunes qui le rongent. Mais le pardon ne règle pas la question : le pardon libère celui qui a été maltraité, lésé, mais il ne libère pas celui qui a commis la faute. Pour vous libérer, vous devez réparer.

L'intelligence se développe dans les difficultés

Pour celui qui sait les utiliser, les difficultés représentent les meilleures conditions de développement. Mais au lieu de bien étudier ces difficultés et de chercher le moyen d'en triompher, la plupart du temps on pousse des cris, on pleure… C'est tout simplement qu'on n'a pas encore compris pourquoi le cerveau est placé au sommet du corps ! Si on l'avait compris, au lieu de rester toujours en bas, dans le cœur, dans les émotions, à souffrir, à pleurer, on s'efforcerait de s'élever jusqu'à la raison, l'intelligence, la lumière.

Quand vous avez envie de pleurer, dites-vous à vous-même : « C'est d'accord, je vais te donner satisfaction : regarde, je prépare même des mouchoirs ; mais attends, il faut d'abord que je réfléchisse. » Alors, vous réfléchissez, vous cherchez et vous trouvez une solution beaucoup plus vite que si vous vous laissez aller à votre chagrin. Sinon, vous vous lamentez trois ou quatre heures, quand vous êtes épuisé, évidemment vous vous calmez, mais vous n'êtes pas plus avancé, au contraire : les énergies sont parties et les difficultés sont restées. Et le lendemain, ça recommence… Alors, au lieu d'être toujours accaparé par vos sentiments, laissez-les de côté et essayez d'atteindre une autre région en vous, une région spirituelle qui est pure raison, pure sagesse, pure lumière.

Vingt fois, trente fois par jour, nous avons des occasions de nous exercer, des occasions très bénéfiques, et c'est ainsi que beaucoup de circonstances désagréables en apparence contribueront en réalité à notre bien. La vie est très riche de tout ce qui est nécessaire pour instruire les humains. Les sages réfléchissent sur tout, s'instruisent de tout et utilisent tout pour le bien. Tandis que les autres, qui n'ont pas la lumière, ne savent profiter de rien, et même s'il leur arrive de bonnes choses, non seulement ils ne savent pas les voir ni les utiliser, mais encore ils s'arrangent pour qu'elles se retournent contre eux. Donc, si vous êtes conscient, vigilant, toutes les épreuves vont contribuer à votre évolution, car vous saurez les utiliser. Vous direz : « Oh là là, voici encore une occasion magnifique ! » et plus vous aurez ce genre d'occasion, plus vous développerez votre lucidité, votre perspicacité et votre intelligence.

À chaque problème sa clé

Vous avez réussi à résoudre hier un certain problème, mais voici qu'aujourd'hui un problème nouveau se présente : vous ne pourrez certainement pas utiliser la même solution qu'hier, car chaque problème demande une solution particulière. Dans votre maison, vous avez pour chaque porte une serrure avec sa clé ; vous ne pouvez pas ouvrir toutes les portes avec la même clé et il faut donc trouver la clé qui corresponde. Dans la vie psychique aussi, il y a des clés différentes pour ouvrir les portes différentes. Si on veut utiliser toujours la même clé, on restera devant des portes fermées. Les trois clés essentielles sont l'amour, la sagesse et la vérité : l'amour qui ouvre le cœur, la sagesse qui ouvre l'intellect et la vérité qui ouvre la volonté. Quand vous avez un problème à résoudre, essayez les différentes clés. Si la première n'ouvre pas la porte, essayez la deuxième, et si la deuxième n'ouvre pas, essayez la troisième.

Chaque jour nous avons besoin de manger, de boire, de dormir, de nous abriter, de nous vêtir, de travailler, de nous promener, de lire, d'entendre de la musique, de rencontrer des gens, de réfléchir, d'aimer, d'admirer… C'est l'Intelligence cosmique qui nous donne ces besoins et nous présente ainsi tous ces problèmes différents à résoudre pour que nous apprenions à nous développer dans tous les domaines et dans tous les plans. Dès qu'un nouveau besoin se manifeste, un nouveau problème apparaît, puis un autre, et encore un autre… Et nous devons nous exercer à trouver chaque fois une solution convenable.

De nouveaux besoins ne cessent de se présenter dans le monde créant de nouveaux problèmes, donc de nouvelles activités. C'est la vie elle-même qui en est la cause, parce que la vie coule, circule, elle déplace les choses, et l'homme est obligé de suivre son courant. Il faut passer par tel endroit, puis par tel autre, ou bien il faut corriger la direction du courant comme on le fait pour certaines rivières. La vie ne nous laisse pas stagner, elle nous oblige à passer par toutes sortes d'endroits pour nous apprendre à voir, à comprendre, à sentir, à agir de toutes les façons possibles. Il faut donc toujours chercher comment résoudre les problèmes nouveaux que la vie nous présente, mais ces problèmes encore une fois, sont en général de trois ordres : ils concernent la volonté, le cœur, l'intellect ; ou encore, présenté d'une autre façon, le corps, l'âme, l'esprit.

Ne pas s'appesantir sur les désagréments de la vie

Être furieux parce que quelqu'un a prononcé des mots qui ne vous plaisent pas, parce que vous avez payé un objet plus cher que prévu, parce que le potage est trop salé ou qu'on vous a égaré un objet, et réagir devant de si petits inconvénients comme si c'étaient des catastrophes, c'est vraiment une attitude insensée. Il faut apprendre à mettre face à face les petites contrariétés de l'existence et tous les biens que la Providence nous a largement distribués. Mais au lieu de cela, on fait le contraire : on compare continuellement le peu que l'on possède avec ce que possèdent les voisins : « Ah ! celui-ci a déjà une voiture alors que je n'ai encore qu'une bicyclette !… Ah celle-là a un diamant et moi des fausses perles »… Si l'on veut faire absolument des comparaisons, pourquoi ne pas voir tous les avantages que l'on possède par rapport à tellement d'autres gens qui sont démunis, malheureux ou malades ?

Vous me direz que vous avez des raisons d'être mécontents parce que vous ne rencontrez que des échecs, vous n'avez aucun avenir devant vous, etc. En réalité les jours ne se ressemblent pas et si aujourd'hui le soleil était caché par des nuages, demain vous le verrez se lever et tout vous sourira. « Oui mais, disent certains, je suis déjà vieux, que puis-je espérer ? » Ne savez-vous pas qu'un jour vous reviendrez de nouveau sur la terre comme un petit enfant à qui tous les espoirs seront permis et que vous recommencerez une vie nouvelle, enrichie par les expériences du passé ?

Il existe des réponses à tout ce que la tristesse et le découragement peuvent objecter. Mais au moins faut-il accepter de regarder autrement les choses, et c'est possible avec un bon raisonnement ; devant chaque événement, chaque situation, arrêtez-vous un moment pour considérer les deux aspects : négatif (puisque vous y tenez !) mais aussi positif. Il ne faut évidemment pas se leurrer en disant que tout est bon, mais il faut refuser également de ne s'arrêter que sur le côté noir de la vie.

Vous pensez : « Oh, nous savons déjà tout cela. » Oui ? Eh bien, alors, faites-le, si c'est si simple ! Observez-vous et vous découvrirez que vous oubliez trop souvent de pratiquer le bon raisonnement.

La souffrance est un avertissement

La nature a installé en nous des entités qui veillent sur nous, et lorsque nous sommes en train de démolir quelque chose dans notre corps physique, notre cœur, notre intellect, elles commencent à nous piquer, à nous mordre pour nous dire : « Allez, reviens sur le bon chemin ! » Oui, c'est cela la souffrance. La souffrance ne vient que pour nous montrer que nous sommes sortis des bonnes conditions où tout était clair et facile.

La souffrance est donc un être envoyé par le monde invisible pour nous sauver et il ne faut pas lutter contre un sauveur. Plus on lutte contre la souffrance, plus elle devient terrible. Elle dit : « Ah ! tu ne veux pas comprendre ? Eh bien, tu vas voir ce que tu vas voir », et elle augmente. Mais au moment où on a compris et décidé de réparer ses erreurs, la souffrance reçoit l'ordre de s'en aller, car elle a fait son travail, elle a rempli sa mission. Donc, au lieu de se révolter et de lutter contre elle, il faut mettre un peu d'ordre dans sa tête et dire au Seigneur : « Voilà, Seigneur, où j'en suis arrivé à cause de ma façon de vivre insensée. Maintenant j'ai compris et je veux me corriger ; alors, donne-moi du crédit, donne-moi de bonnes conditions, que j'aie la possibilité de tout réparer pour me consacrer à ton service. » Voilà la seule bonne chose à faire. Mais se révolter, c'est stupide. La souffrance ne vient pas par hasard, ni pour se venger ni pour nous punir, elle est seulement une servante de Dieu envoyée pour nous avertir.

Puisqu'on ne peut pas éviter la souffrance, il est préférable de la supporter et d'avancer au lieu de souffrir et de rester le même ! Combien de gens souffrent sans même savoir pourquoi ! Et c'est cela qui est affreux : d'avoir des épreuves, des malheurs sans jamais comprendre pourquoi, car ça peut continuer ainsi éternellement. Alors, désormais, comprenez au moins pourquoi vous souffrez, c'est le seul moyen pour vous libérer et progresser.

Remercier dans les épreuves

Combien de gens, devant une épreuve, commencent par se révolter contre le Ciel : « Comment ? me faire ça à moi ? » Eh bien, oui, justement, c'est à vous, et vous devez l'accepter en essayant d'en tirer les éléments les plus utiles pour votre avancement spirituel. Sachez qu'étant donné l'état actuel du développement de la terre et le point où l'humanité en est arrivée de son évolution, l'homme ne peut pas ne pas souffrir. La terre est comme une maison de correction, et en même temps un centre d'apprentissage. La souffrance est donc inévitable et si vous l'acceptez, vous mettez en activité des forces cachées qui produisent en vous un immense travail.

Quand vous traversez un moment difficile, dites-vous que puisque vous êtes fils de Dieu, vous possédez en vous-même les moyens de surmonter cette épreuve. Il faut aimer les épreuves. Mais les « aimer » ne signifie pas les rechercher stupidement (de toute façon elles viendront sans que vous les cherchiez), cela signifie seulement : bien les traverser, et pour bien les traverser, il faut apprendre à remercier, à être reconnaissant, parce qu'elles ont un sens.

Oui, si on se révolte contre la justice divine, on augmente ses fardeaux ; pour les alléger, il faut remercier le Ciel. Vous direz : « Comment ! Remercier le Ciel quand on est malheureux, malade, dans la misère ? » Oui, c'est un grand secret : même malheureux on doit trouver une raison de remercier. Vous êtes pauvre, vous êtes misérable ? Remerciez, remerciez, réjouissez-vous de voir les autres riches, dans l'abondance, et vous verrez… Peu après certaines portes s'ouvriront et les bénédictions commenceront à couler sur vous.

Apprendre à remercier même pour les épreuves, c'est la meilleure façon de les transformer. Si vous vous révoltez, vous montrez seulement que vous êtes un orgueilleux et vous ne pourrez pas transformer ces épreuves en or et en pierres précieuses. Mais si vous dites : « Oh, Seigneur, merci, certainement il y a une raison pour que cela m'arrive, je dois avoir quelque chose à apprendre. Je ne suis pas parfait, j'ai dû commettre quelques bêtises », grâce à votre humilité vous sentirez d'un seul coup que quelque chose s'est amélioré. Essayez, et vous verrez.

Il faut comprendre que l'on doit utiliser les difficultés et se réjouir même s'il n'y a apparemment aucun motif de se réjouir. C'est là une philosophie qui vous donnera la possibilité de dominer, de surmonter toutes les difficultés, de planer au-dessus de la vie, d'être le maître de toutes les situations. Et devant votre puissance, votre force d'âme, la Providence dira : « Enlevez-lui cet obstacle, épargnez-lui cette souffrance… » Jusqu'au jour où elle permettra que vous soyez délivré de tout ce qui vous entrave.

Les épreuves nous obligent à exploiter nos propres ressources

Beaucoup de souffrances et d'épreuves dans la vie nous sont envoyées par le monde invisible pour nous obliger à compter sur les forces spirituelles qui sont en nous. Quand nous sommes rassasiés, riches, comblés de biens, nous restons à la surface des choses, tandis que l'isolement et la tristesse nous poussent à entrer en nous-mêmes pour trouver de nouvelles ressources. Le rôle de l'Initiation est d'enseigner à l'homme à entrer en lui-même pour y trouver la véritable richesse, la véritable force, le véritable soutien. Autrefois, l'Initiation se faisait dans les temples ; maintenant, elle se fait partout dans la vie et aux moments où l'on s'y attend le moins. Vous pensez : « Mais pourquoi justement le monde invisible ne nous prévient-il pas d'avance, par des signes, des épreuves que nous aurons à traverser ? » Parce que dans l'imprévu nous sommes obligés de rentrer plus profondément en nous-mêmes et de faire de plus grands efforts.

Vous aurez tous des épreuves à traverser et il faut vous en réjouir, car ce sont de nouvelles richesses. Tous ceux qui n'ont pas souffert sont très pauvres, ils n'ont pas de couleurs pour peindre leurs tableaux, symboliquement parlant. Mais celui qui a souffert peut utiliser toutes les sensations qu'il a vécues pour peindre des tableaux. Les grands génies, tous ceux qui ont fait quelque chose dans leur existence, ont beaucoup souffert. Ils possédaient une encre noire, et c'est de cette encre noire qu'ils ont tiré les plus belles couleurs.

Penser que les souffrances sont passagères

Devant chaque difficulté qui se présente, dites-vous : « Oh ! ça ne durera pas. C'est pour un moment. Ça va passer. » Vous êtes surpris ? Vous ne pensez pas que cela puisse être efficace ? Si, c'est une formule efficace, je l'ai vérifiée. La seule pensée que les malheurs sont passagers aide à les supporter. Et d'ailleurs, c'est vrai, ils ne dureront pas éternellement. Une vingtaine, une trentaine, une quarantaine d'années ? Eh bien, ce n'est pas l'éternité ! Il faut seulement patienter. D'ailleurs, c'est vous-même le plus souvent qui, pendant des années, avez contribué à vous mettre dans des situations inextricables. Là, vous vous êtes montré patient, persévérant, oui, un modèle de persévérance ! Eh bien, vous devez aussi vous montrer patient pour vous rétablir. Le bien, comme le mal, a besoin de temps pour se manifester. Donc, désormais, quelles que soient vos épreuves, dites-vous : « C'est seulement un mauvais moment à passer, il ne restera bientôt plus rien de tout ça, car j'ai maintenant les moyens de refaire mon avenir et de le vivre d'une façon céleste. » Et vous vous remettez au travail.

Regarder vers le haut

Quand vous avez des difficultés, vous êtes habitué à vous concentrer dessus, à ne voir qu'elles, à ruminer longuement tout ce qui ne va pas, tout ce qui est pour vous cause de soucis, d'inquiétudes, de chagrins… Regarder ainsi toujours vers le bas n'est pas une bonne méthode : il faut essayer de regarder vers le haut, là où se trouvent la lumière, la sagesse, la beauté, et tout ce qui peut justement inciter votre âme à découvrir les moyens de surmonter les difficultés. Les soucis, les chagrins existeront toujours, vous ne serez pas épargné. Pour les surmonter, vous devez faire ce que l'on fait contre les intempéries ou contre les insectes : vous équiper. Contre la pluie vous prenez un parapluie ; contre le froid vous vous habillez de vêtements chauds ou vous installez un chauffage ; contre les moustiques, vous placez une moustiquaire ou vous utilisez un insecticide. Eh bien, contre les difficultés, vous devez regarder vers le haut pour puiser la lumière et la force. Ce n'est qu'à cette condition que vous triompherez.

La méthode du sourire

Quand vous n'êtes pas dans un bon état parce que vous vous êtes laissé aller, que vous avez reçu de mauvaises nouvelles ou qu'on vous a vexé, il y a une méthode formidable : c'est de vous servir de la puissance du sourire. Même quand vous êtes seul, essayez de sourire pour vous montrer que vous êtes au-dessus de toutes les difficultés. Pensez que vous êtes invulnérable, que vous êtes immortel, éternel, et donnez-vous un sourire comme ça en passant devant une glace. Ce sourire sera peut-être d'abord un peu tordu, mais ça ne fait rien, c'est déjà le commencement d'une amélioration. Car derrière cette méthode du sourire, il y a la méthode de l'amour. Dès que vous vous décidez pour cette méthode, immédiatement vous vous sentez mieux disposé et, étant mieux disposé, vous trouvez plus facilement des solutions à vos problèmes.

La méthode de l'amour

Lorsque vous vous sentez agité, angoissé, malheureux, essayez de réagir. Au lieu de vous ronger ou d'aller partout inquiéter les autres, restez tranquille et commencez par faire quelques respirations profondes. Ensuite prononcez un mot avec amour, faites un geste avec amour, envoyez une pensée avec amour… Vous constaterez que ce qui fermentait et se putréfiait en vous est chassé très loin. En faisant appel à l'amour vous avez ouvert une source en vous, alors maintenant laissez-la travailler, elle purifiera tout. Vous voyez, c'est facile, il suffit d'ouvrir son cœur, de déclencher l'amour. Essayez et vous vous demanderez pourquoi vous n'avez pas encore utilisé cette méthode.

On entend parler de l'amour, et on rit, on joue avec l'amour au lieu de s'en servir comme un moyen de salut.

Vivre avec amour, c'est vivre dans un état de conscience très élevé qui se reflète dans tous les actes de la vie, un état qui harmonise tout en vous, qui vous maintient en parfait équilibre, un état qui est une source de joie, de force, de santé.

La leçon de l'huître perlière

Comment l'huître s'y prend-elle pour fabriquer une perle ? Tout d'abord, c'est un grain de sable qui est tombé dans sa coquille et ce grain de sable est une difficulté pour l'huître, il l'irrite. « Ah, se dit-elle, comment m'en débarrasser ? Il me gratte, il me démange, que faire ? » Et la voilà qui commence à réfléchir ; elle se concentre, elle médite, elle demande conseil, jusqu'au jour où elle comprend que jamais elle n'arrivera à éliminer ce grain de sable, mais qu'elle peut l'envelopper de façon à ce qu'il devienne lisse, poli, velouté. Et quand elle y a réussi, elle est heureuse, elle se dit : « Ah, j'ai vaincu une difficulté ! »

Depuis des milliers d'années, l'huître perlière instruit l'humanité, mais les humains n'ont pas compris la leçon. Et quelle est cette leçon ? Que si nous arrivions à envelopper nos difficultés et tout ce qui nous contrarie dans une matière lumineuse, douce, irisée, nous aurions des richesses inouïes. Voilà ce qu'il faut comprendre. Alors, désormais, au lieu de vous plaindre et de rester là à vous ronger sans rien faire, travaillez à sécréter cette matière spéciale qui peut envelopper vos difficultés. Quand vous vous trouvez devant un événement pénible, une personne insupportable, réjouissez-vous en disant : « Seigneur Dieu, quelle chance, encore un grain de sable, voilà une nouvelle perle en perspective ! » Si vous comprenez cette image de l'huître perlière, vous aurez du travail pour toute la vie.

Sachez partager votre bonheur

Il y a des jours où vous êtes dans l'émerveillement : vous vous sentez riche, heureux… Est-ce qu'à ce moment-là vous pensez un peu à distribuer de votre bonheur à tous ceux qui sont dans la misère et le malheur ? Il faut savoir donner quelque chose de cette abondance que vous avez reçue en disant : « Chers frères et sœurs du monde entier, ce que je possède est tellement magnifique que je veux le partager avec vous. Prenez de ce bonheur, prenez de cette lumière ! »

Si vous gardez votre bonheur pour vous sans vouloir le partager, des êtres malfaisants du monde invisible qui vous guettent s'arrangeront pour vous le faire perdre, il se passera à un moment ou à un autre un incident imprévisible qui vous enlèvera ce bonheur. Pour garder vos richesses intérieures il faut les distribuer. Tout ce que vous donnez ainsi va se placer sur votre compte dans les banques célestes d'où vous pouvez puiser plus tard si vous en avez besoin. Et ces richesses restent en vous, personne ne peut vous les prendre parce que vous les avez placées dans les réservoirs en haut.

L'exercice de la maîtrise dans les relations

Vous avez un patron, un associé, un ami et si, dans une conversation, vous n'êtes pas assez attentif et maître de vous-même, vous laissez échapper étourdiment quelques mots malheureux, alors ça y est, les relations sont rompues : il vous renvoie, ou se sépare de vous, ou décide de ne plus vous fréquenter. Et voilà des complications, des chagrins… Vous dites que vous allez tâcher de réparer ; c'est très bien, mais ce n'est pas toujours possible et risque d'être lent et coûteux. Le plus raisonnable, c'est de comprendre qu'il faut au départ être très attentif pour ne pas compliquer les situations, du moins pour ce qui dépend de nous. Au-dehors, mon Dieu, il y aura toujours du désordre, toujours des bagarres et vous n'y pouvez presque rien. Ce n'est pas si facile d'installer la paix dans le monde. Mais dans tout ce que vous faites, vous, vous pouvez toujours vous efforcer d'agir de façon à préserver l'ordre et l'harmonie.

Régler les problèmes par l'amour et non par la force

Dans leurs relations avec autrui les gens sont toujours poussés à résoudre les problèmes par la force, et voilà qu'au contraire tout se complique, tout s'envenime, car par cette attitude, c'est la nature inférieure qu'ils provoquent chez eux, c'est-à-dire un désir de riposter, de leur tenir tête et même de les exterminer. Tant que les humains ne choisiront pas la force spirituelle, la force lumineuse, la force de l'amour divin, mais la force brutale, ils ne résoudront rien. La seule solution, c'est de faire preuve de bonté, d'amour, d'humilité.

Bien sûr, tout ne s'arrange pas immédiatement, car si vous vous montrez gentil et humble, les autres, qui sont très mal éduqués, considèrent que vous êtes faible, stupide, et ils en profitent pour continuer à vous piétiner. Mais patientez… Quelque temps après ils s'apercevront que votre attitude n'est pas dictée par la faiblesse, mais au contraire par une grande puissance morale, spirituelle ; c'est eux qui commenceront à devenir plus humbles, plus respectueux, et tout s'arrangera. Alors, essayez, dès aujourd'hui, de résoudre vos problèmes avec vos parents, vos amis, vos ennemis, en manifestant l'amour, la bonté. En agissant ainsi, vous déclenchez une loi qui les obligera un jour ou l'autre à répondre de la même manière.

En opposant la colère à la colère, la haine à la haine, la violence à la violence, on applique une très vieille philosophie qui ne donne pas de bons résultats. C'est par la bonté que l'on s'oppose à la méchanceté, par l'amour que l'on chasse la haine, par la douceur que l'on combat la colère.

Il faut comprendre une fois pour toutes cette loi que, seul le bien peut lutter contre le mal. Car le bien est fort, le bien est immortel, alors que le mal est faible. On peut le comparer à une pierre jetée en l'air : plus le temps passe, et moins elle a de force pour s'élever. Alors que le bien est comme une pierre que l'on jette du haut d'une tour : avec le temps son mouvement s'accélère. C'est là le secret du bien : il est faible au commencement, mais tout-puissant à la fin. Le mal au contraire est tout-puissant au début, mais il va en s'affaiblissant. Il faut savoir cela !

Apprenez à dépasser la loi de justice

Vous avez été lésé par quelqu'un ? Cela ne vous donne pas le droit de vous venger de lui.

Vous direz : « Mais c'est pour rétablir la justice ! » Non, cette façon de comprendre la justice est à l'origine de tous les malheurs. Au nom de la justice, le premier venu croit qu'il peut donner une leçon aux uns, punir les autres... Laissez la justice tranquille ! « Et alors, que faire ? » Avoir recours à un principe qui est au-delà de la justice, un principe d'amour, de bonté, de générosité. Voilà deux mille ans que Jésus a apporté ce nouvel Enseignement, et pourtant les chrétiens continuent à appliquer la loi de Moïse : « Œil pour œil, dent pour dent ». Ils n'ont pas encore compris que pour devenir vraiment grand, vraiment libre, il ne faut plus tellement appliquer la loi de justice, il ne faut plus chercher à se venger. La vengeance est une vieille méthode préhistorique qui n'apporte aucune solution : au contraire, elle complique les choses et augmente les dettes karmiques.

Vous avez fait du bien à quelqu'un, vous l'avez aidé, soutenu, puis un jour, vous découvrez qu'il ne méritait pas ce que vous avez fait pour lui. Eh bien, acceptez cette situation : ne cherchez pas à vous venger, à le punir, et n'allez pas non plus raconter cette histoire à tout le monde ! Quand allez-vous vous décider enfin à faire preuve de générosité et de noblesse ? Il faut fermer un peu les yeux, effacer et pardonner, c'est ainsi que vous grandissez, que vous vous renforcez. Et même, sachez que ce que vous avez perdu vous sera rendu plus tard au centuple. Sinon, en essayant de vous venger, vous provoquez tellement de forces négatives qu'un jour elles reviendront sur vous et c'est vous qui serez écrasé.

En attendant, si vous voulez vraiment donner une leçon à votre ennemi, ne vous occupez plus de lui, commencez un travail gigantesque sur vous-même : priez, méditez, apprenez, exercez-vous jusqu'au jour où enfin vous posséderez la vraie sagesse et les vrais pouvoirs. Et s'il arrive alors que vous le rencontriez, quand il sentira votre lumière, votre force, il sera stupéfait. Il comprendra que, tandis que vous travailliez à devenir plus sage, plus généreux, plus maître de vous-même, lui ne faisait que s'avilir et il aura honte.

La seule chose importante, c'est de vous améliorer vous-même, de vous occuper de tout ce qui est constructif, pur, divin. Bien sûr, il faut pour cela avoir beaucoup d'amour, de patience, de lumière, mais moi je ne connais pas de méthode plus efficace. Et puisqu'il existe une loi d'après laquelle chacun doit payer pour le mal qu'il a fait, tous ceux qui vous ont lésé seront obligés un jour de venir vous chercher pour réparer leurs torts. Il se peut que, sentant intuitivement que ce sont d'anciens ennemis, vous vouliez les écarter. Ça ne fait rien, ils continueront à tourner autour de vous et à vous demander d'accepter leurs services. Parce que telle est la loi : tous ceux qui vous ont fait du mal et à qui vous n'avez pas répondu par le mal seront obligés (qu'ils le veuillent ou non, leur opinion ne compte pas) de venir un jour réparer les torts qu'ils vous ont faits.

Soyez capable de gestes désintéressés

Combien de temps et de forces dépensez-vous pour faire respecter ce que vous croyez être vos droits, vos possessions ! Pourquoi toujours vous accrocher à vos intérêts ? Faites un geste désintéressé, mon Dieu, et vous serez libre ! Tout d'abord, bien sûr, vous ne pourrez pas être tellement heureux de faire ce geste, vous souffrirez, vous vous sentirez comprimé. Mais si vous y arrivez, vous découvrirez de nouvelles régions, de nouvelles lumières, et il n'y aura pas plus fier et plus heureux que vous. Parce que vous aurez réalisé quelque chose de très difficile : vaincre la nature inférieure qui vous conseille toujours de vous battre pour conserver vos avantages matériels.

Si vous comptez sur la sagesse, sur l'amour du Ciel, il ne vous abandonnera pas ; du moment que vous aurez fait quelque chose qui vous lie à lui, il veillera sur vous. Ne perdez jamais la foi en la puissance du monde invisible : il soutient tous ceux qui travaillent d'après ses lois. Si vous suivez les mauvais conseils de votre nature inférieure, vous n'arriverez jamais véritablement à vos fins : à un moment ou à un autre le monde invisible vous mettra des obstacles. Mais si vous comptez sur le Ciel et si vous respectez ses lois, vous ne serez jamais abandonné. Même si le monde entier vous abandonne, vous serez soutenu, encouragé, éclairé.

Utilisez vos sympathies pour reprendre courage et vos antipathies pour vous renforcer

La sympathie et l'antipathie sont des mouvements naturels que même les sages connaissent. Toutefois, la différence entre le sage et l'homme ordinaire, c'est que le sage domine ses antipathies et ne se livre pas aveuglément à ses sympathies. Il sait que les unes et les autres proviennent d'expériences vécues dans d'autres vies avec les êtres qu'il rencontre dans celle-ci et qu'elles ne peuvent donc pas le renseigner avec impartialité sur ces êtres. Il tâche alors de manifester de la bonté envers ceux qui lui sont antipathiques et de reconnaître les erreurs et les lacunes de ceux qui lui sont sympathiques.

Vous non plus, vous ne devez pas vous laisser aller sans réfléchir à vos sympathies et antipathies, mais apprendre à les utiliser. Quand quelqu'un vous est sympathique, pensez à lui pour vous réjouir et prendre courage. Oui, quelqu'un de sympathique agit favorablement sur vous et vous pouvez profiter des bonnes dispositions dans lesquelles il vous met. Vous direz : « Et avec quelqu'un d'antipathique ? » Eh bien, là aussi, il y a quelque chose à faire. Dites-vous : « A nous deux maintenant, il faut surmonter ça ! » Et au lieu de le fuir ou de lui envoyer de mauvaises pensées, vous vous exercez à le supporter.

En faisant ces efforts, c'est vous qui gagnez, car vous arrivez à vaincre cette nature inférieure qui est toujours là pour vous entraîner dans des luttes, des malentendus et des complications. Au moment où vous y parvenez, vous entrez dans un monde de beauté et de lumière, et bientôt vous constatez que tout change, car tous ceux que vous regardiez avant avec froideur et hostilité sentent que votre regard a changé et ils commencent à vous aimer.

Oui, il y a toujours des occasions qui se présentent à vous pour vous renforcer. Pourquoi ne pas les utiliser ? Vous vous en tenez à vos sentiments de sympathie ou d'antipathie et vous ne faites rien. Eh bien, justement, il faut en faire quelque chose en sachant que ce sont des impulsions que vous pouvez utiliser pour votre évolution.

L'utilité des ennemis

Au lieu de vous plaindre, tâchez de comprendre pour quelles raisons certaines personnes viennent produire des événements désagréables dans votre existence. Peut-être ces personnes ont-elles été justement poussées par le monde invisible pour vous donner des leçons, vous faire comprendre certaines vérités, vous obliger à vous améliorer… Alors, pourquoi ne pas utiliser ces occasions ? Au lieu de ruminer des idées de vengeance, de vous révolter en pensant que le Ciel aurait déjà dû exterminer votre ennemi… et même de finir par vous venger sur d'autres qui sont innocents, comme cela arrive souvent dans la vie, profitez de cette occasion pour faire un travail sur vous-même.

Donc, même si quelqu'un se comporte mal à votre égard, vous devez apprendre, vous, à vous comporter bien. Et la première chose à faire pour y parvenir, c'est de chercher quelles leçons vous pouvez tirer de ces circonstances désagréables. Le pire pour l'homme, c'est de vivre avec des sentiments négatifs à l'égard des autres. Car, vous devez le savoir, les courants de notre vie psychique, avant d'atteindre les autres, commencent d'abord par nous traverser nous-même. Si on est animé par des sentiments de bonté, on sera le premier à profiter de cette bonté, et si on est méchant, on s'empoisonnera d'abord soi-même. Vous dites : « Je suis furieux contre tel ou tel, il va voir ce qu'il va voir ! » Bien, c'est entendu, mais c'est vous qui serez le premier intoxiqué par votre colère.

Transformer le mal

Tout ce que vous recevez des autres comme critiques, comme manifestations de haine, vous devez chercher à le transformer. C'est comme des cailloux qu'il faut trouver le moyen de transformer en pierres précieuses. Et c'est cela la véritable alchimie. Puisque la terre est capable de le faire, pourquoi pas nous ? L'essentiel est d'y penser. Un être humain contient toutes les forces et les puissances ; même la pierre philosophale est là en lui, la pierre philosophale qui transforme tous les métaux en or. Tant que vous n'aurez pas cette façon de voir les choses, vous vous sentirez malheureux, écrasé, la moindre parole négative qu'on dit à votre sujet vous mettra par terre.

Les véritables ennemis sont en nous

Combien de gens entretiennent en eux l'esprit de révolte ! Révolte contre telle situation qu'ils trouvent insupportable ou contre telle personne qui leur semble malhonnête ou injuste… Mais cette révolte est-elle tellement utile ? Si vous voulez vraiment vous révolter, c'est en vous que vous pourrez découvrir de quoi faire un bon travail. Oui, toutes vos faiblesses, tous vos penchants inférieurs, vous ne pensez pas qu'il y a là de quoi être indigné et que ça vaut la peine de les combattre ? Si la révolte existe dans l'univers, c'est qu'elle y a un rôle à jouer. On ne peut pas la supprimer, donc il faut comprendre le rôle qu'elle peut jouer et l'atteler elle aussi au service de votre haut idéal. A ce moment-là, on saura où, quand, comment et envers qui ou quoi se révolter… Il faut se révolter, mais seulement contre toutes les entités inférieures qui se sont installées en l'homme sous forme de faiblesses et qui le trompent, le grignotent. Combien d'entre vous sont malheureux parce qu'ils sont conscients de leurs défauts, de leurs faiblesses ! Oui, mais ils ne se sont pas encore suffisamment révoltés contre ces défauts pour décider de s'en débarrasser définitivement.

Alors, cessez de vous révolter chaque jour contre votre femme, votre mari, votre patron, le gouvernement, etc., et révoltez-vous contre vous-même, parce que les vrais ennemis sont en vous, bien camouflés et toujours occupés à vous tendre des pièges sous forme de tentations, de convoitises, de désirs incontrôlés. Et vous, sans vous en rendre compte, vous les caressez, vous les cajolez, vous les nourrissez. Eh bien, désormais, c'est contre ces ennemis-là que vous devez vous révolter.

Éveiller le bien chez les autres

Très peu se doutent des dégâts considérables produits par cette manie qu'ils ont de toujours regarder le côté négatif des êtres et des choses. Beaucoup d'amitiés, de relations sont brisées à cause de cette tendance à chercher les défauts d'autrui, à ne regarder que ce qui est mauvais, critiquable, et même à prendre plaisir à fouiller dans la vie des gens pour y découvrir des détails compromettants.

Le sage, lui, tâche de voir les deux côtés à la fois : le bien et le mal. Il n'est pas aveugle, il ne se laisse pas tromper, mais il considère que la partie essentielle des êtres, leur essence, c'est le bien. En fixant son attention sur le bien, il attire ses forces et le fait grandir en lui-même et chez les autres. C'est pourquoi tous sont attirés vers un être pareil : ils sentent qu'auprès de lui s'éveillent et croissent les germes de leur nature divine.

Vivez avec amour

C'est l'amour qui donne les plus grandes possibilités de succès, c'est l'amour qui rend plus capable, plus lucide, plus pénétrant, qui prépare les conditions pour les manifestations les plus harmonieuses, les plus constructives. Mais qui se préoccupe de l'amour ? L'amour sexuel, oui, tout le monde est intéressé, mais l'amour impersonnel, spirituel, on le laisse toujours à la dernière place.

Certains diront : « Mais vous ne vivez pas dans le monde ! Vous ne voyez pas comment sont les gens : on ne peut pas les aimer ! » Sachez qu'aucun de vous peut-être n'a vécu ce que j'ai vécu ; s'il y a quelqu'un qui connaît les conditions terribles de l'existence, c'est moi. Mais justement, même dans ces conditions où l'on n'a aucune envie d'aimer parce qu'on dirait que de tous les côtés, c'est vrai, il y a des raisons pour fermer son cœur aux humains, même alors il faut aimer. Sinon, à quoi sert la Science initiatique, à quoi sert cette philosophie divine ? Ce n'est pas parce qu'il y a quelques têtes qu'on ne peut pas supporter qu'il faut se priver de la plus grande bénédiction : l'amour.

Alors, aimez, aimez le monde entier, aimez toutes les créatures… C'est cet amour qui harmonisera tout en vous. Observez-vous dans vos différentes activités, vous sentirez combien votre être est tendu, crispé : votre visage, vos mains surtout, et pendant ce temps vos énergies s'en vont inutilement. C'est parce que vous ne savez pas travailler avec amour. Alors, arrêtez-vous, détendez-vous complètement, que votre cerveau surtout soit détendu, cessez pendant quelques minutes de le faire fonctionner pour sentir seulement l'amour couler à travers vous…

Le plus grand secret, la méthode la plus efficace, c'est d'aimer. Quand vous sortez le matin de chez vous, pensez à saluer tous les êtres dans le monde entier. Dites-leur : « Je vous aime, je vous aime… » et puis partez au travail. Toute la journée vous vous sentirez heureux, dilaté, et vos relations avec les autres seront plus faciles parce que vous aurez envoyé votre amour à toutes les créatures dans l'univers ; et de tous les coins de l'espace cet amour reviendra ensuite vers vous. Il y a tellement de choses à faire pour rendre la vie digne d'être vécue !

Devenez pareil à la source

La source coule et jaillit sans cesse, et même si quelqu'un veut la salir en y jetant des ordures, elle continue de couler et le courant emporte les ordures. La source reste toujours pure, toujours vivante, parce qu'elle ne cesse pas un seul instant de couler. Où trouver une philosophie meilleure que celle de la source ?

Prenez la source comme modèle, devenez semblable à elle, c'est-à-dire aimez, aimez envers et contre tout. Cet amour qui jaillit vous protégera des impuretés et des souffrances ; vous ne vous apercevrez même pas qu'on a essayé de vous salir et de vous faire du mal, car tout ce qui peut vous arriver de mauvais, la source le rejettera. Gardez en vous jour et nuit cette image de la source qui coule et qui rejette le mal et les impuretés, aimez sans arrêt et vous ne souffrirez plus.

Le Ciel nous a donné des richesses pour que nous sachions nous montrer généreux

Si vous avez près de vous des êtres difficiles à supporter, c'est pour vous apprendre à aimer. Un jour, quand vous quitterez la terre et que vous vous présenterez devant les entités célestes, elles vous demanderont des comptes, elles vous diront : « Pourquoi n'avez-vous pas eu d'amour pour vos semblables ? – Mais parce qu'ils étaient laids, méchants, stupides. – Non, ce n'est pas une raison, vous avez reçu du Ciel de grandes richesses : des yeux, une bouche, des oreilles, une intelligence, un cœur, et si on vous les a donnés, c'est pour aimer et non pour calomnier, mépriser, saccager, piétiner. – Mais c'étaient des misérables ! – Eh bien, justement, vous aviez là une raison supplémentaire pour leur donner avec plus de générosité. » Rien ne pourra vous justifier.

Oubliez vos ennemis en pensant à vos amis

On a été injuste envers vous, on vous a critiqué, calomnié ? Bon, c'est entendu, mais pourquoi vous arrêter là-dessus et rester malheureux pendant des jours et des jours ? Dites-vous : « Même si certains ne m'aiment pas, beaucoup d'autres m'aiment, le Seigneur Lui-même m'aime ! » Ainsi vous penserez à vos amis, au monde divin, au Seigneur qui a créé tant de choses belles et bonnes dont vous bénéficiez à chaque moment de l'existence, et vous oublierez le mal qu'on vous a fait. C'est en vous exerçant de cette manière que vous arriverez à devenir insensible envers le côté négatif.

La véritable sensibilité est une ouverture totale envers le Ciel et une fermeture vis-à-vis de tout ce qui est négatif et ténébreux. Sinon, si on n'est sensible qu'à ce qui est négatif, c'est de la sensiblerie, une manifestation maladive de la personnalité. Quel bonheur pouvez-vous attendre quand ni le Ciel, ni les anges, ni les fleurs, ni les oiseaux, ni les amis n'existent plus pour vous, mais seulement les gens méchants et injustes ?

Se fortifier contre les critiques

On vous a critiqué, calomnié et vous voilà effondré. Pourquoi ? Parce que vous n'étiez pas préparé. Il faut savoir d'avance que toute la vie il en sera ainsi. Pourquoi vous imaginer que vous serez épargné ? Alors, maintenant, redressez-vous un peu et dites-vous que ce n'est certainement pas encore la dernière fois que vous recevez des critiques, et si vous ne faites rien pour vous renforcer aujourd'hui, eh bien, quand cela se reproduira vous serez de nouveau effondré. Bien sûr, vous êtes étonné : vous voudriez que je vous dise que cela n'arrivera plus, que désormais vous serez protégé, épargné. Eh non, je vous dis seulement de vous préparer pour d'autres épreuves du même genre ! Vous devez savoir d'avance que toutes sortes d'événements désagréables peuvent survenir. S'ils ne se présentent pas, tant mieux, remerciez le Ciel ; et s'ils se présentent, remerciez encore le Ciel parce qu'au moins vous serez prêt.

Savoir se mettre à la place des autres

Les humains ont rarement l'habitude d'entrer dans la situation les uns des autres, et de là proviennent tant d'erreurs de jugement, tant de cruautés et d'injustices. Ils ne veulent jamais sortir de leur point de vue : ils mesurent tout, pèsent tout, se prononcent sur tout d'après leurs propres goûts, leurs propres penchants et prédilections sans jamais tenir compte des autres. Et maintenant que les moyens de communication leur permettent d'être si facilement en relation, il faut qu'ils apprennent à sortir de leur champ de conscience limité, sinon tout ce qui pouvait leur servir à se rapprocher leur servira à s'entre-tuer.

Alors, avant d'accuser les gens, essayez, pour cinq minutes au moins, de vous mettre à leur place ; et souvent vous vous rendrez compte que, si vous étiez dans leur situation, vous feriez dix fois pire qu'eux. Quelques minutes seulement de cet exercice et vous acquerrez des qualités de noblesse, de patience, d'indulgence, de douceur. Faites donc cet exercice : entrez pour quelques minutes dans la situation de tous les gens qui vous sont désagréables et que vous avez du mal à supporter, et vous verrez, vous ne pourrez pas ne pas les comprendre et les aimer.

Quelques conseils concernant les enfants

Être attentif à la façon dont on leur parle

Les adultes ne sont pas suffisamment attentifs à la façon dont ils parlent aux enfants. Certains ne cessent de les traiter d'incapables, de cancres, d'idiots, et les enfants, suggestionnés, hypnotisés, deviennent, au bout de quelque temps, réellement stupides et incapables. Il faut savoir que la parole est puissante, agissante, et que ce qu'on dit aux enfants peut avoir une très mauvaise influence sur eux, les bloquer, leur faire peur. Ce sont les adultes souvent – les parents, les éducateurs – qui détruisent les enfants. Pour arriver à les faire obéir, travailler ou rester sages, pourquoi faut-il les menacer du croquemitaine, du loup, du gendarme ou d'autres choses ? Toute leur vie ensuite, ces enfants risquent de se sentir menacés, en danger, et ils deviendront de bons clients pour les psychanalystes. Il y a beaucoup de choses que les adultes doivent corriger dans leur attitude à l'égard des enfants.

Une méthode pour développer leurs qualités

Pour être de bons éducateurs, les parents doivent penser à toutes les qualités et vertus qui sont enfouies dans l'âme et l'esprit de leur enfant. Au lieu de se contenter de lui donner quelques gifles ou quelques fessées pour lui apprendre à ne plus faire certaines bêtises, ils doivent se concentrer sur l'étincelle divine qui habite dans leur enfant, faire tous leurs efforts pour la développer, et c'est ainsi que cet enfant fera plus tard des merveilles. Et même, quand il est endormi, ils peuvent se mettre auprès de son lit et, en lui donnant de toutes petites caresses, sans le réveiller, lui parler de toutes les bonnes qualités qu'ils aimeraient lui voir manifester plus tard. Ils placent ainsi dans son subconscient des éléments précieux qui, lorsqu'il les découvrira des années après, le protégeront de beaucoup d'erreurs et de dangers.

Créer autour d'eux une atmosphère harmonieuse

Pour éduquer un enfant, il ne suffit pas de l'envoyer à l'école, la meilleure soit-elle. Si à la maison les parents donnent à leur enfant le spectacle de leurs disputes, de leurs mensonges, de leur malhonnêteté, comment peuvent-ils s'imaginer qu'ils vont l'éduquer ? On a observé qu'un bébé peut tomber malade et manifester des troubles nerveux à cause des disputes de ses parents, sans même y avoir assisté. Car ces disputes créent autour de lui une atmosphère de désharmonie que l'enfant ressent, parce qu'il est encore très lié à ses parents. Le bébé n'est pas conscient, mais c'est son corps éthérique qui reçoit les chocs.

On voit certains parents se conduire d'une façon si invraisemblable qu'on se demande si vraiment ils aiment leurs enfants. Eux, évidemment, diront qu'ils les aiment. Mais non, s'ils les aimaient, ils changeraient d'attitude, ils essaieraient au moins de se corriger de certaines faiblesses qui se reflètent très négativement sur leurs enfants. Tant qu'ils ne font pas ces efforts, c'est qu'ils ne les aiment pas vraiment.

Leur offrir une image irréprochable

Dans toutes les circonstances les adultes doivent être impeccables devant les enfants, ne montrer aucune faiblesse, aucun défaut. Lorsque les adultes (parents, éducateurs) laissent voir leurs faiblesses, les enfants sont troublés, désorientés, car ils n'ont plus rien à quoi se raccrocher. Les enfants cherchent toujours d'instinct à s'appuyer sur des êtres qui incarnent la justice, la noblesse, la puissance ; ils portent tous en eux un besoin instinctif de justice et de vérité, et quand ils voient les adultes qui s'occupent d'eux commettre une action répréhensible, il y a quelque chose en eux qui se dérègle. L'enfant qui se sent petit, faible, aime sentir au-dessus de lui une autorité infaillible qui le protège. Il est ignorant de tout, mais il sait qu'il est faible ; c'est pourquoi il a besoin de protection et se blottit contre sa mère pour sentir sa chaleur. Et ce n'est pas seulement dans le domaine physique qu'il cherche un appui, mais aussi dans le domaine psychique. C'est pourquoi quand un enfant comprend que sa mère, son père, ses parents ou ses instituteurs, ses professeurs, ne sont pas à la hauteur de leur tâche, il se sent perdu ou il se révolte… C'est l'origine de beaucoup de tragédies dans les familles et dans la société.

Conditions pour qu'une correction soit bénéfique

Il vaut mieux ne jamais frapper un enfant. Exceptionnellement, s'il le mérite, une gifle ou une fessée ne peut pas lui faire de mal, mais attention !… Ne frappez jamais un enfant quand vous êtes en colère, sinon vous laisserez dans sa mémoire une impression de haine, de méchanceté, et non de justice, alors que précisément, pour sa bonne éducation, il doit sentir que vous êtes juste et que c'est parce que vous êtes juste que vous le corrigez.

C'est pourquoi, si vous devez corriger un enfant, faites aussi attention à votre regard. Oui, votre regard ne doit exprimer ni la colère, ni l'hostilité, ni aucun sentiment négatif, parce que l'enfant oubliera vite la gifle ou la fessée, mais il n'oubliera jamais le regard que vous lui avez donné.

Souvent, les adultes frappent un enfant parce qu'ils sont exaspérés et ont perdu patience : c'est une très mauvaise réaction. Les gifles et les fessées ne doivent pas être dictées par l'énervement des parents – l'énervement n'est pas un sentiment pédagogique – mais par leur désir de faire comprendre à l'enfant qu'il y a, pour son bien, des règles à respecter.

Puissance de la parole désintéressée

Combien de gens, après avoir démoli quelqu'un par leurs critiques et leurs reproches, prétendent : « Mais j'ai dit cela pour son bien, je voulais l'aider, et j'ai été sincère, c'est tout ! » En réalité, ils avaient tout simplement besoin d'exprimer leur irritation, leur mécontentement, et ils ont pris pour prétexte la sincérité. Pourquoi est-ce sous l'empire de la colère que l'on devient soudain sincère ? Vous pouvez donner toutes les bonnes raisons que vous voulez : tant que vos mobiles ne seront pas vraiment désintéressés, spirituels, ce que vous direz ne produira jamais de bons effets. Vos paroles ne seront réellement puissantes et bénéfiques que le jour où vous posséderez la maîtrise de vos pensées et de vos sentiments ; sinon, quelles que soient vos bonnes intentions pour aider les autres, non seulement vous ne les aiderez pas, mais vous leur ferez du mal ou vous les égarerez.

Approfondissez une vérité avant d'en parler

Dans la vie spirituelle il existe une règle qui veut que lorsqu'on reçoit une vérité, on commence par la vivre avant de vouloir la prêcher autour de soi. Oui, c'est une règle importante à retenir. Il faut expérimenter une vérité, faire des exercices avec elle, et quand elle est enfin devenue chair et os en vous, vous êtes tellement fusionné avec elle que rien au monde ne peut ensuite vous la faire perdre. Tandis qu'une vérité que vous venez d'apprendre et dont vous commencez à parler à gauche et à droite dès le lendemain, c'est sûr qu'elle va vous quitter : vous l'avez exposée sur la place du marché, elle ne vous appartient plus, et ensuite vous êtes de nouveau faible et malheureux. Vous devez donc commencer par la garder pour vous, afin qu'elle vous apporte des forces et vous aide à triompher des épreuves que vous aurez à traverser. À partir de ce moment-là elle ne vous quittera plus.

Tant que vous n'avez pas vécu et expérimenté une vérité, elle ne fait pas partie de vous ; c'est pourquoi elle peut vous quitter et vous devrez lutter et souffrir pour la retrouver. Il faut donc la garder un certain temps, vivre avec elle pour la faire vôtre ; à ce moment-là, non seulement elle ne vous quittera plus, mais quand vous la direz aux autres, elle aura une telle force, une telle puissance à cause de votre accent de sincérité, que vous arriverez à les convaincre. Le timbre de votre voix, les émanations qui sortiront de vous seront réellement persuasifs, parce que vous aurez longtemps gardé cette vérité en vous-même et qu'en la gardant vous l'aurez renforcée.

Commencer par s'assagir soi-même

Les humains sont habitués à toujours regarder les faiblesses et les imperfections des autres, mais les leurs, jamais. Ils exigent des autres l'intelligence, la bonté, l'honnêteté, mais eux, comment ils sont, ils ne pensent pas à se le demander. S'il y a si peu de gens parfaits dans le monde, c'est parce que tous raisonnent de la même façon : tous attendent que ce soit les autres qui fassent des efforts, eux-mêmes peuvent très bien rester comme ils sont. Eh non, les conséquences de cette attitude sont très préjudiciables, et particulièrement chez tous ceux dont le rôle ou le métier est de s'occuper des autres.

Prenons seulement le cas des parents : ils s'occupent de leurs enfants, c'est bien, c'est leur devoir ; mais est-ce qu'ils ont su d'abord s'occuper d'eux-mêmes avant de s'occuper de leurs enfants ? Non, ils ont vécu n'importe comment, ils ont laissé le désordre s'installer en eux, et maintenant qu'ils sont déformés ou même délabrés, ils se croient capables d'éduquer des enfants ! Que ces enfants reçoivent l'exemple d'un comportement déplorable qui influencera très négativement leur psychisme et même leur santé, cela n'a pas d'importance. Combien de gens se marient parce qu'ils s'ennuient tout seuls, et ensuite, quand ils ont des enfants, ils se trouvent dans des difficultés inextricables.

Avant de vouloir éduquer les autres, occupez-vous de vous éduquer vous-même ; sinon c'est exactement comme si vous vouliez enlever une petite tache sur le visage de quelqu'un avec des mains noires de charbon : vous ne faites que le salir davantage. Tous ceux qui veulent se mêler d'éclairer et d'assagir les autres sans être eux-mêmes au point, ne peuvent que les égarer.

Laissez donc les humains tranquilles et pensez seulement à vous améliorer vous-même. Pourquoi passer son temps à se lamenter sur les imperfections de l'humanité ? Ne vous en occupez pas, occupez-vous de vous perfectionner, vous ; à ce moment-là vous n'aurez plus autant de soucis, vous ne vous rongerez plus et vous accélérerez votre évolution, puisque c'est sur votre perfectionnement que vous allez vous concentrer.

Croyez-moi, laissez les autres faire ce qu'ils veulent et travaillez sur vous-même. C'est vous qui devez avancer, c'est vous qui devez être un exemple. Vous n'arriverez pas à assagir les humains, même en leur faisant les plus beaux discours, mais si vous êtes vous-même un exemple, ils vous suivront malgré eux. C'est pourquoi, au lieu d'attendre toujours qu'il y ait de l'harmonie dans votre famille, dans votre entourage, dans votre lieu de travail, et de vous plaindre qu'elle n'existe pas, commencez par la réaliser en vous-même. Quand les autres sentiront combien vous avez changé, ils seront obligés de se transformer aussi, car c'est contagieux, magique : un être qui entreprend sincèrement un travail sur lui-même dégage des forces qui obligent son entourage à en faire autant.

Il faut connaître la nature des humains, savoir ce qu'ils sont et ne pas trop vous occuper de ce qui en eux vous inspire de mauvais sentiments. Car il existe des correspondances entre ce dont on s'occupe et les états dans lesquels on est. Si vous vous laissez aller à des sentiments négatifs envers les autres, ne soyez pas étonné ensuite de vous sentir mal disposé : cela n'a rien d'étonnant. Pour ne jamais être ébranlé, troublé, découragé, vous devez compter uniquement sur votre travail intérieur.

Le soleil, modèle de la perfection

Si vous avez un ami pour lequel vous éprouvez beaucoup de respect et d'admiration, en le fréquentant vous recevez à votre insu quelque chose de ses qualités ou de ses défauts. C'est une loi, on finit toujours par ressembler aux êtres et aux choses que l'on aime et admire. De la même façon, si vous vous habituez à regarder chaque jour le soleil en vous émerveillant de sa générosité, de sa puissance, de toute cette vie qui jaillit, vous sentez peu à peu des transformations se produire en vous, comme si vous receviez quelque chose de sa lumière, de sa chaleur et de sa vie. Le soleil est l'image de la perfection, et si vous le prenez pour modèle, si comme lui vous ne pensez qu'à être lumineux, chaleureux et vivifiant, c'est là que vous allez vraiment vous transformer. Évidemment, vous n'obtiendrez jamais la lumière, la chaleur et la vie au même degré que le soleil, mais le désir seulement de les acquérir vous projettera dans les régions célestes et vous pourrez vraiment faire des merveilles.

Pour avoir une influence bénéfique sur les humains, vous devez entrer chaque jour en contact avec le soleil pour recevoir de lui quelques nouvelles particules que vous communiquerez à votre entourage. Le soleil est le seul à pouvoir vous donner ce dont vous avez besoin pour aider et aimer les humains. Tant que vous ne vous concentrez pas sur ce modèle de chaleur et de lumière, vous vous laisserez aller à des manifestations inférieures. Regardez ce qui se passe dans le monde : on ne voit que des gens qui veulent profiter des autres, les asservir, les écraser. Ce n'est pas glorieux, tout ça ! Tandis qu'avec le soleil, vous avez l'image d'un être rayonnant, généreux et vous êtes influencé. En admettant même qu'il ne soit pas une créature intelligente et raisonnable au sens où nous l'entendons, le contact de sa chaleur et de sa lumière ne peut que vous inspirer des sentiments plus fraternels à l'égard des autres : la générosité, la bonté, la patience.

Alors, prenez le soleil pour modèle. Au cours de la journée, surveillez-vous, analysez-vous en vous demandant : « Est-ce que je suis en train de rayonner et de propager la lumière ? Est-ce que je suis en train de réchauffer et de dilater le cœur des créatures ? Est-ce que je leur apporte la vie ? » Oui, à chaque moment de la journée, posez-vous cette question, car vous avez là la clé de votre perfectionnement.

Le secret de la vraie psychologie

Si les gens manquent tellement de psychologie, c'est parce qu'ils restent toujours trop préoccupés d'eux-mêmes. Ils sont là comme aveuglés par le voile de leur nature inférieure qui les empêche de distinguer ce qui se passe dans la tête ou le cœur des autres. Même s'ils aiment un être, ce voile les empêche de le voir ; aussi sont-ils parfois étonnés des transformations qu'ils constatent soudain chez leur femme, leur mari, leurs enfants, leurs amis, transformations dont ils n'avaient ni prévu ni senti l'approche. Seul celui qui a maîtrisé sa nature inférieure et qui est devenu capable d'oublier son propre intérêt peut vraiment connaître et comprendre les autres.

Pour arriver à sortir des limites de votre conscience individuelle, voici une méthode. Projetez-vous très haut par l'imagination pour vous lier à l'Être qui embrasse tout, qui porte en Lui-même toutes les créatures et qui les nourrit. Demandez-vous comment Il envisage le devenir de l'humanité, quels sont ses projets pour elle, pour son évolution. Lorsque vous essayez de vous rapprocher de cet Être immensément grand et lumineux, tout un travail se fait dans votre subconscience, votre conscience et votre superconscience, et ce que vous vivez alors comme sensations et expériences est inexprimable. Vous devez faire cet exercice jusqu'à sentir que vous parvenez à vous fondre dans cet océan de lumière qui est Dieu. Quand cette pratique est devenue pour vous une habitude et que vous arrivez à goûter des instants de plénitude en communiant avec les êtres les plus élevés, vous pouvez commencer à descendre dans la conscience des humains pour apprendre à les connaître, pour ressentir leurs besoins, leurs souffrances, et c'est ainsi que vous faites un travail constructif pour toute l'humanité.

Au-delà de l'apparence des êtres, chercher leur âme et leur esprit

Apprenez à considérer tous les hommes et toutes les femmes avec un sentiment sacré, et derrière leurs vêtements, derrière la forme de leur corps ou de leur visage, vous découvrirez leur âme et leur esprit qui sont fils et fille de Dieu. Si vous savez vous arrêter sur leur âme et leur esprit, toutes les créatures que vous avez négligées, abandonnées, méprisées, vous apparaîtront extrêmement précieuses. Le Ciel lui-même qui les a envoyées sur la terre sous ces déguisements les considère comme des trésors, des réceptacles de la Divinité. Donc, chez tous les êtres que vous rencontrez vous ne devez pas tellement considérer l'apparence physique, la fortune, la situation, l'instruction, mais l'âme et l'esprit, sinon vous ne connaîtrez jamais l'essentiel. Dites-vous que même ceux qui se promènent ici comme des mendiants ou des clochards sont en réalité, aux yeux de Dieu qui les a créés, des princes et des princesses.

Aimer sans danger pour les autres

Lorsque vous aimez un être, au lieu de vous accrocher à lui égoïstement, pensez à le lier au Ciel, à le lier à la Source inépuisable de la vie, afin qu'il puisse sans cesse s'abreuver et se régénérer. Rien n'est plus important que de savoir aimer. Si vous voulez le bonheur et l'épanouissement de l'être que vous aimez, tâchez de ne pas tellement penser à vous, sinon vous allez l'entraîner dans les régions inférieures de vos désirs et de vos convoitises. L'amour, ce n'est pas d'attirer un être à soi, au contraire, c'est vouloir se surpasser, en voulant faire quelque chose de grand pour lui, et il n'y a rien de plus grand que de le lier à la Source.

Approchez-vous de la personne que vous aimez, regardez-la, prenez-la dans vos bras et projetez-la vers le Ciel, liez-la à la Mère divine, ou au Christ, au Père céleste, à l'Esprit-Saint... Et même si vous n'êtes pas assez intime avec elle pour la prendre dans vos bras, essayez de la lier par la pensée avec la Source de la lumière ; souhaitez-lui de comprendre la nouvelle vie, souhaitez-lui de trouver une paix qu'elle n'a encore jamais goûtée. Faites que votre amour contribue toujours à l'épanouissement des êtres que vous aimez.

Aimer sans danger pour nous-mêmes

L'amour est une force qui travaille à vous rendre semblable à celui que vous aimez. Si vous aimez un être égoïste, vulgaire, malhonnête, méchant, peu à peu ses faiblesses s'installent en vous et vous finissez par lui ressembler. Mais si vous vous concentrez sur le Seigneur, si vous L'aimez avec la conscience qu'Il est l'immensité, un océan de lumière et de vie, peu à peu votre conscience s'élargit, s'illumine et la vie divine commence à circuler en vous. Sachez donc qui aimer. On peut, bien sûr, aimer tous les humains et même on doit les aimer. Mais pour ne pas se niveler avec leurs faiblesses, il faut d'abord aimer le Seigneur. Celui qui aime le Seigneur peut aimer qui il veut, il n'y aura plus de danger pour lui ; l'amour divin le fortifiera et le maintiendra au-dessus des dangers.

Lorsqu'un sauveteur s'est jeté à l'eau pour rattraper un homme qui se noie, il lui donne ses pieds pour qu'il s'y accroche ; mais si l'autre veut lui saisir les bras, il est obligé de lui donner un coup pour lui faire perdre connaissance : ce n'est qu'ainsi qu'il peut le sauver, sinon il se noie avec lui. Vous aussi, gardez vos bras pour Dieu et abandonnez vos pieds aux humains ! Ne leur donnez pas tout votre amour, sinon vous vous perdrez avec eux. Combien aiment n'importe qui, n'importe quand, de n'importe quelle façon, et ensuite ils disent que l'amour apporte tous les malheurs. Non, jamais de la vie ! C'est leur ignorance au sujet de l'amour qui apporte les malheurs, pas l'amour lui-même, car l'amour c'est Dieu, et Dieu ne peut apporter aucun mal. Il faut tout d'abord aimer Dieu et s'imprégner de ses vibrations, ensuite vous pouvez sans danger aimer les autres et les aider. Puisque vous êtes lié à la Source, vous pouvez donner vos forces sans vous affaiblir, car l'eau en vous se renouvelle sans cesse. Mais si vous coupez ce lien, comme vos réserves ne sont pas éternelles, vous êtes vite épuisé.

C'est en allant s'enrichir auprès de Dieu qu'on peut aider les créatures

N'abandonnez jamais le Ciel pour qui que ce soit, ni pour un enfant, ni pour une femme, ni pour un mari, car c'est seulement en restant lié au Ciel que vous pourrez leur faire du bien. Vous direz : « Mais quel mal y a-t-il à consacrer son temps à son travail, à sa femme, à ses enfants, à ses amis ? » Oh, aucun, évidemment, c'est très bien de se manifester comme un être de devoir, appliqué, consciencieux. Mais pas au point de négliger le Ciel. La sentimentalité, l'attachement aveugle ne vous mèneront à rien.

Comment agit en cas de nécessité un père qui aime vraiment sa famille ? Il a le courage de l'abandonner quelque temps pour aller à l'étranger gagner de l'argent. Tandis qu'un autre, qui n'a pas le même amour, n'a pas ce courage de partir. Donc, vous voyez, en apparence le premier a abandonné sa famille, mais c'est pour l'aider : il est allé à l'étranger gagner de l'argent, et quand il revient, tous sont heureux ; tandis que celui qui n'a pas voulu quitter sa famille, la laisse dans la pauvreté, et lui avec.

Maintenant, traduisons. Celui qui aime véritablement son mari ou sa femme, ses enfants, ses amis, sait les abandonner de temps en temps pour « aller à l'étranger », c'est-à-dire dans le monde divin où il amassera des richesses, et quand il reviendra, il distribuera des cadeaux à tous. Tandis que celui qui ne comprend pas restera auprès de sa famille, mais que pourra-t-il lui donner ? Pas grand-chose, quelques bricoles, quelques croûtes moisies qui sont restées dans les placards. Et combien de temps doit-on rester à l'étranger ? Cela dépend, peut-être une demi-heure, une heure, peut-être une journée… Le seul véritable amour est celui qui apporte aux êtres les pures richesses du Ciel.

La circulation de l'amour

Ne vous préoccupez pas de savoir si celui que vous aimez est aussi celui qui vous aime. Pourquoi ? Parce que l'amour circule, il va de l'un à l'autre : on le reçoit, on doit le donner. Ce que vous donnez à l'être que vous aimez, il le donne à son tour à celui qu'il aime, et ainsi se forme une chaîne, un courant qui part de vous et vous revient à travers des milliers d'êtres.

Pour bien comprendre cette idée, il suffit d'imaginer que nous sommes tous comme les alpinistes d'une même cordée. Il faut que chacun avance et que la corde reste tendue. Si vous dites à celui qui marche devant vous : « Je t'aime, retourne-toi, regarde-moi », vous entravez la marche de toute la colonne. Se retourner pour aller vers l'autre, c'est reculer, c'est détendre la corde, c'est empêcher ceux qui sont en avant de continuer à monter, et ceux qui sont en arrière de poursuivre leur route. Chacun doit marcher dans un sens unique, le sens du déplacement de toute la chaîne. Nous n'avons pas à nous arrêter pour nous regarder et nous parler ; nous devons toujours monter sans répit, sans défaillance vers le sommet.

L'amour porte en lui-même sa récompense

Notre cœur doit être rempli d'amour pour les humains parce qu'ils sont tous nos frères. Nous devons penser à eux et les aider sans attendre la moindre récompense, car en réalité nous avons déjà la récompense : cette dilatation intérieure, cette chaleur qui nous comblent lorsque nous aimons. C'est là une grande récompense, il n'en existe pas de plus grande dans la vie.

Vous attendez toujours d'être récompensés pour ce que vous avez fait ? Cela révèle de votre part une mauvaise compréhension des choses. Celui qui a compris le secret de l'amour n'attend rien : il donne gratuitement. Et parce qu'il vit sans cesse dans la plénitude et dans la joie, il rayonne, et ainsi il gagne la confiance d'une quantité d'amis. Où trouverez-vous une plus grande récompense que celle-là ?

Celui qui sait s'ouvrir aux autres ne connaît pas la solitude

Combien de gens se plaignent de la solitude ! Pourtant il y a là autour d'eux une quantité de personnes, mais ils se sentent seuls. En réalité, c'est leur attitude qui les isole : ils ne savent pas s'ouvrir, ils ne savent pas aimer, ils ne savent pas dire deux mots d'encouragement ou de consolation, ils ne savent pas donner ; ils attendent toujours que ce soit les autres qui viennent vers eux. Mais les autres sont souvent très occupés, ils ont leurs soucis, leurs préoccupations… Alors, ce ne sont que des plaintes : « Personne ne vient me voir, personne ne m'aime, personne ne s'intéresse à moi. » Et pourquoi est-ce toujours les autres qui doivent les aimer et s'intéresser à eux ? Si vous souffrez de la solitude, ne restez pas comme ça sans rien faire. Au lieu de vous ronger dans un coin en attendant toujours les attentions des autres, l'amour des autres, faites vous-même le premier pas, allez vers eux. Il n'y a pas de raison de se sentir seul quand l'amour est là, quand la lumière est là. Si vous vous sentez seul, c'est que vous vous êtes mis vous-même en dehors de l'amour et de la lumière.

Combien de fois j'ai insisté pour que vous sortiez un peu de votre égocentrisme afin de faire quelque chose pour les autres. Évidemment, c'est souvent l'éducation reçue qui est coupable. Les parents disent à leurs enfants : « Ne sois pas si bête, ne fais pas toujours le premier pas, laisse un peu les autres venir te chercher. » Bien sûr, les gens viendront peut-être les chercher, mais s'ils savent être utiles. Si vous êtes boulanger, on viendra chez vous chercher du pain. Pour être recherché, il faut être capable de donner quelque chose. Celui qui n'a rien à donner n'attire personne et il reste seul. Il ne faut pas reprocher aux autres de ne pas venir vers vous. Devenez agréable et vous verrez s'ils ne viendront pas ! Regardez une rose qui s'est ouverte, elle répand un parfum délicieux et tous s'approchent pour la respirer, même les abeilles, les papillons : parce qu'elle s'est ouverte. Alors, pourquoi restez-vous fermé, sans parfum ?

Seule la présence divine peut véritablement remplir l'âme humaine

Chacun aspire à rencontrer un être aux côtés duquel il pourra avancer en toute confiance sur le chemin de la vie, un être avec qui échanger ses pensées, ses émotions les plus intimes. Mais c'est difficile. Dans combien de romans, de films, de pièces de théâtre, des hommes et des femmes ont raconté cette angoisse, cette souffrance due à l'impossibilité de trouver un tel être ! C'est parce qu'en réalité l'âme humaine ne peut être remplie complètement et définitivement que par Dieu. Celui qui veut vaincre la solitude, sentir chaque jour qu'il est rempli d'une immense présence faite de joie et de bonheur, doit s'unir à Dieu.

La solitude est un état de conscience que même les plus grands Initiés ont connu. Jésus lui-même a traversé cette région obscure et déserte quand il s'est écrié : « Mon Père, pourquoi m'as-Tu abandonné ? » Tous connaîtront un jour cette solitude terrible. Pourquoi ? Parce qu'on ne peut pas développer réellement la foi, l'espérance et l'amour quand on est heureux, satisfait, entouré d'amis, mais lorsqu'on est seul et abandonné au-dedans de soi-même. Il n'y a pas d'autres moyens de traverser la solitude que de s'appuyer sur l'Être qui soutient tous les mondes. Il faut croire en cet Être immortel, L'aimer et espérer en Lui.

La traversée du désert

Il arrive dans la vie spirituelle qu'on se sente intérieurement comme si on traversait des régions arides, désertiques : on n'a plus le désir de quoi que ce soit, tout devient fade, étranger. C'est l'état le plus grave dans lequel un spiritualiste puisse se trouver. Le plus grave, ce n'est pas de tomber malade, de perdre de l'argent ou de subir un échec, mais de ne plus sentir d'amour, d'élan, de foi. Et comme cela peut arriver à chacun de vous, vous devez savoir comment affronter cette situation.

Même en plein désert vous devez pouvoir dire : « Seigneur Dieu, je suis entre tes mains, Tu as tracé mon chemin et qu'il y ait de l'eau ou pas, je marche, je suis à ton service. Je T'aime, Seigneur, aide-moi. » C'est tout, vous ne devez pas accepter de perdre si facilement votre foi et votre amour, mais continuer avec une ardeur encore plus grande, croire deux fois plus. Car c'est là votre seul salut. Ne restez pas avec cette impression d'être égaré en plein désert, faites votre possible pour aller plus loin, vous trouverez bien un fruit ou de l'eau quelque part ; même au milieu du désert, il y a des oasis. Marchez donc jusqu'à atteindre en vous-même une oasis pour y trouver de l'eau, ce qui vous permettra de continuer votre chemin. Cette eau, c'est l'humilité, c'est l'amour.

La pureté permet le contact avec le monde divin

Vous vous plaignez de ce que le Ciel est sourd, cruel, et qu'il ne répond pas à vos appels… En réalité, vous êtes plongé dans le monde divin et si vous vous sentez tellement isolé, séparé de lui, c'est que par vos pensées et vos sentiments inférieurs vous avez formé des couches opaques qui, comme un écran, vous empêchent d'entrer en communication avec lui. Si vous décidez de travailler sur vous-même pour vous purifier et rendre vos corps subtils réceptifs et sensibles, vous vous apercevrez qu'il n'existe en réalité aucune séparation entre le Ciel et vous.

C'est parce qu'il est très important pour un spiritualiste de savoir éliminer les impuretés de son organisme psychique que les exercices de purification doivent avoir une si grande place dans sa vie, et non seulement la purification par les moyens physiques : les exercices respiratoires, les ablutions, le jeûne, etc., mais la purification par les moyens spirituels : la concentration, la prière. Grâce à ces exercices, il introduit en lui-même une substance qui désagrège tous les éléments étrangers et nocifs afin que la vie divine puisse recommencer à circuler. C'est pourquoi chaque jour, plusieurs fois par jour, pensez au nettoyage, à la purification. Faites couler l'eau en vous, l'eau pure du Ciel. Non seulement cette pureté vous apportera toutes les bénédictions, mais votre présence sera aussi bénéfique aux autres : vous ferez du bien à toutes les créatures que vous rencontrerez, vous les éclairerez et vous les mettrez, elles aussi, en communication avec le Ciel.

Le Ciel ne répond qu'aux signaux lumineux

Pour arriver à attirer les esprits célestes et leur donner le désir de vous aider, vous devez mener une vie en accord avec les lois divines. Sinon, ils ferment leurs yeux et leurs oreilles, ils n'écoutent rien, ils ne voient rien et ils vous laissent continuer à vous casser la tête. C'est par votre vie seulement que vous pouvez les obliger à faire attention à vous. Il faut qu'ils voient des signaux, un jaillissement de lumière. C'est seulement quand ils aperçoivent de loin une créature qui projette chaque jour à travers son cœur, son âme, son esprit, des étincelles et des feux d'artifice aux couleurs extraordinaires qu'ils se disent. « Oh, quelle fête là-bas, allons-y ! » Ils s'approchent, ils se prennent d'amitié pour cet être-là, ils s'installent même souvent en lui pour l'aider et tout devient facile pour lui. Voilà pourquoi cela vaut la peine d'améliorer votre façon de vivre, afin d'attirer l'aide et même la présence de tous ces esprits lumineux qui viendront vous aider dans votre travail spirituel.

La clé du bonheur : la gratitude

Vous vous plaignez : « Ah, que je suis malheureux ! – Bon, d'accord, mais avez-vous remercié aujourd'hui ? – Remercier qui et pourquoi ? – Vous pouvez marcher, respirer ? – Oui. – Vous avez pris votre petit déjeuner ? – Oui. – Et vous pouvez ouvrir la bouche pour parler ? – Oui. – Eh bien, remerciez le Seigneur parce qu'il y a des gens qui ne peuvent ni marcher, ni manger, ni ouvrir la bouche. » Vous êtes malheureux parce que vous n'avez jamais pensé à remercier. Pour changer votre état, il vous faut tout d'abord reconnaître que rien n'est plus merveilleux que le fait d'être vivant, de marcher, de regarder, de parler. Savez-vous combien de milliards et de milliards d'entités, d'éléments, de particules sont engagés pour pouvoir seulement maintenir un homme en vie ? Vous ne vous en rendez pas compte et vous êtes toujours révolté, mécontent. Soyez reconnaissant ! Dès demain matin en vous levant, remerciez le Ciel. Combien de gens ne se réveillent plus ou se réveillent paralysés ! Dites : « Merci, Seigneur, aujourd'hui encore Tu m'as donné la vie et la santé ; je vais accomplir ta volonté. »

Vos dons, vos talents, vos vertus sont en réalité des envoyés du Ciel qui se sont installés en vous pour travailler. Vous devez être conscient de cela, parce que le jour où vous commencez à être tellement fier de vos succès, comme si c'était vous qui en aviez tout le mérite, d'une façon ou d'une autre ces amis s'éloignent, et vous perdez ce talent ou cette vertu. Combien de gens ont perdu leur talent à cause de leur orgueil ! Tandis que d'autres, au contraire, ont attiré des qualités ou les ont amplifiées grâce à leur humilité.

Et lorsque vous vous sentez parfois heureux, émerveillé, sans qu'il y ait à cela une raison particulière, sachez aussi que vous avez reçu la visite de créatures célestes. Si vous n'appréciez pas ce qu'elles font pour vous, vous perdez cet état. Ensuite, vous avez beau faire tous vos efforts pour le retrouver, c'est fini, ces esprits ne vous visitent plus, ils ne vous donnent plus un regard, ils ne vous sourient plus, ne vous disent plus le moindre mot, ne font plus un seul geste pour vous. La seule chose qui peut irriter les esprits lumineux, c'est le manque de reconnaissance. Ils aiment que l'on apprécie leur amour, leur générosité. Vos défauts, vos faiblesses, ils les connaissent, ils les excusent même, ils ne s'arrêtent pas à cela ; au contraire, ils disent : « Oh, dans quel état ils sont, les pauvres, il faut les aider ! » Mais s'ils voient que vous n'appréciez pas leur présence, ils vous quittent. Non qu'ils aient besoin de cette gratitude, mais ils savent que, si vous ne les appréciez pas, vous ne pourrez jamais vraiment profiter de tout ce qu'ils peuvent vous donner. Donc, n'oubliez pas : le plus grand secret, la plus grande clé pour votre bonheur et votre avancement, c'est la gratitude. Tant que vous appréciez tout ce que le Ciel vous donne, il ne vous abandonnera pas.

Savoir échapper au mal

Supposons que vous êtes parti en promenade dans la forêt et vous vous êtes égaré, vous avez quitté la route et vous avez pris un chemin qui vous a amené dans une région de marécages infestés de mouches, de guêpes, de moustiques et de serpents. Vous voilà menacé, assailli, piqué... Eh bien, quand ça a commencé, que deviez-vous faire ? Fuir, rebrousser chemin, retourner en arrière pour retrouver votre route. Comment voulez-vous vous débarrasser de toutes ces bestioles ? La seule solution est de sortir de leur territoire. De la même façon, si vous êtes allé vous égarer imprudemment dans les régions inférieures du plan astral peuplées d'entités malfaisantes qui commencent à vous piquer, à vous mordre, dépêchez-vous de quitter ces lieux.

Dans le plan psychique des pensées, des émotions, des sentiments, il est déconseillé de rester longtemps soumis aux courants négatifs, parce que là, c'est dangereux, et il vaut toujours mieux éviter l'affrontement. Si vous restez longtemps dans l'obscurité, vous ne la vaincrez pas, c'est elle qui vous vaincra. Si vous restez longtemps dans la haine, c'est la haine qui vous détruira. Si vous restez dans la peur, dans la sensualité, dans les passions, dans la méchanceté, ce sont elles qui auront le dessus, pas vous. Il faut tout de suite les quitter.

Le plan physique et le plan psychique ne sont pas régis par les mêmes lois. Dans le plan physique, il faut faire preuve de volonté, de ténacité, d'opiniâtreté, donc ne pas abandonner la partie, mais s'acharner, lutter afin de se renforcer ; tandis que dans le plan psychique, il vaut mieux ne pas tenir tête aux forces hostiles. Vous direz : « Mais comment leur échapper ? » Il y a tellement de moyens ! Et un des moyens les plus efficaces est la prière.

Le refuge le plus sûr : la prière

La prière est l'acte par lequel nous nous élevons jusque dans ce monde lumineux où le Seigneur a placé tout ce dont nous avons besoin pour notre équilibre, notre paix, notre épanouissement. Il se peut que le Seigneur Lui-même ne soit pas au courant que nous avons besoin de quelque chose, et d'ailleurs ce n'est pas la peine qu'Il soit au courant : du moment que tout est là à notre disposition, c'est à nous d'atteindre ces régions et d'y puiser tous les éléments que notre cœur et notre âme désirent, ou même de nous y réfugier.

Prenons une image : vous êtes poursuivi par des ennemis et vous courez, vous courez pour leur échapper. Enfin, voilà que, essoufflé, poussiéreux, vous tombez dans une assemblée de gens qui sont en train de manger, de boire et de se réjouir au milieu des chants, des danses, des parfums… Personne ne vous dit : « Hé là, que venez-vous faire ici ? Vous êtes un intrus, sortez ! » Au contraire, on vous accueille, on vous donne de quoi vous laver, vous vêtir et on vous invite au festin. Vos ennemis, pendant ce temps, restent dehors à la porte et ils ne peuvent vous faire aucun mal… Eh bien, c'est cela la prière : vous courez, vous courez, c'est-à-dire vous échappez aux courants nocifs, aux entités malfaisantes qui sont en train de vous persécuter et vous arrivez dans un endroit où le Seigneur est en train de se réjouir en compagnie des anges, des archanges et de toutes les divinités. Le Seigneur ne demande pas mieux que de vous accueillir parmi eux. Vous restez là autant que vous voulez ; pendant ce temps, vos ennemis se retirent bredouilles ; et ensuite, vous retournez chez vous heureux, comblé.

Donc, désormais, quand vous vous sentez troublé, malheureux, au lieu d'aller pleurnicher et vous plaindre à droite et à gauche, prendre des calmants ou des excitants, tâchez de changer de région en ayant recours à ce moyen merveilleux et tellement efficace que les plus grands Maîtres nous ont enseigné : la prière. Dans les pires situations, pensez que jamais rien n'est définitif et qu'il faut seulement penser à se déplacer. Oui, se déplacer. Le Seigneur ne viendra pas vous trouver dans l'endroit où vous êtes, Il ne vous tirera pas de l'Enfer pour vous installer dans le Ciel. C'est à vous de faire l'effort de vous élever jusqu'à Lui.

Revivre les joies spirituelles

Quand vous êtes parvenu à vous mettre dans un bon état, la question est, évidemment, de savoir comment le faire durer. En réalité, lorsque vous avez vécu un état d'harmonie, de plénitude, c'est comme si vous aviez gravé des empreintes : elles restent là en vous, ineffaçables. « Alors, direz-vous, pourquoi cet état ne se maintient-il pas ? Pourquoi, l'instant d'après, se sent-on inquiet, découragé ? » Parce que la vie est un perpétuel écoulement : les instants se succèdent, vous présentant sans cesse de nouvelles impressions, de nouveaux événements, et comme vous n'avez pas été assez vigilant, vous n'avez pas su rester sur les mêmes empreintes, vous vous êtes laissé emporter par d'autres idées, d'autres sentiments, d'autres activités et vous avez perdu votre paix, votre joie. Mais ce que vous devez savoir, c'est que les empreintes de ce que vous avez vécu sont restées quelque part en vous, rangées, comme des disques ou des bandes magnétiques dans votre discothèque. Le jour où vous vous souvenez qu'il y avait là une voix magnifique qui chantait des airs célestes, vous pouvez sortir ce disque, le mettre sur votre appareil intérieur, et de nouveau vous voilà captivé, pris sous le charme : vous retrouvez le même état. Il faut penser à le faire... Il faut repasser, réécouter ces gravures divines.

Bien sûr, dans la vie, on est souvent troublé, harcelé, mais croyez-moi, on peut malgré tout rétablir, maintenir et sauvegarder ces états de conscience supérieurs. C'est simplement une habitude à prendre : vivre dans une vigilance, une attention constante au monde divin, penser dès le matin à faire tous les gestes de la vie quotidienne en gardant ses pensées dirigées vers le Ciel.

Si vous vous habituez à maintenir cette attitude toute la journée, vous verrez que rien n'arrivera à vous ébranler longtemps. Bien sûr, certains événements peuvent nous bouleverser, je ne le nie pas : une mauvaise nouvelle, une maladie, un accident. Mais si vous avez pris cette habitude de maintenir en vous les bons états, vous surmonterez ces troubles beaucoup plus vite, parce que vous aurez compris que ce n'est pas à la matière, mais à l'esprit en vous que Dieu a donné la toute-puissance.

Gardez donc précieusement, et aussi longtemps que possible, tout ce que vous avez vécu de divin, car chaque moment que vous avez vécu est éternel, vous pouvez le retrouver, il est gravé en vous, personne ne peut vous l'enlever.

Rester inébranlable

Vous devez fréquenter les humains, vivre avec eux, les aider, les aimer, mais veiller à ne pas partager leurs faiblesses. Donnez-leur quelques particules, quelques rayons de votre cœur et de votre âme, mais sans rien perdre de votre idéal, c'est-à-dire sans faire de concession ni transiger sur les principes spirituels, en restant toujours honnête, droit, probe. Tout en faisant preuve de souplesse, vous devez rester solide et inébranlable dans vos convictions.

Même si on le coupe en morceaux, un véritable serviteur de Dieu reste inébranlable dans son amour et dans sa foi. Mais pour y parvenir, il faut posséder les connaissances de la Science initiatique. Celui qui s'imagine que, sans ces connaissances, il pourra se plonger dans les tourbillons de la vie et en sortir intact, se trompe. Tant de choses peuvent vous séduire, vous égarer, vous déséquilibrer ! Si vous présumez de vos forces, vous succomberez comme les autres. Alors, instruisez-vous, développez votre volonté et surtout faites des efforts pour maintenir vivantes en vous toutes les vérités de l'Enseignement. Dites-vous : « Je sais que je ne pourrai jamais échapper aux réalités quotidiennes, mais je dois être vigilant ; quoi qu'il arrive, je ne perdrai pas ma flamme, mon enthousiasme, mon espoir. » Accrochez-vous à ces vérités ; grâce à la méditation et la prière, prenez quelques bouffées d'oxygène, et ensuite allez faire face à la réalité ! À ce moment-là, oui, vous deviendrez véritablement fort et puissant.

Savoir reconnaître si une personne exerce une bonne influence sur vous

Vous voyez souvent quelqu'un et vous ne savez pas s'il est bon pour vous de le fréquenter. C'est très simple : si vous sentez que cette personne vous rend plus lucide, si elle éveille en vous la générosité et la bonté, si elle vous stimule dans le travail, continuez à la rencontrer ; quoi qu'on vous dise à son sujet, elle vous fait du bien, et c'est cela qui est important. Mais si, au contraire, en fréquentant quelqu'un vous constatez que tout s'embrouille en vous, que vous ne savez plus où vous en êtes, que vous n'éprouvez pour les autres que des sentiments d'animosité ou de dégoût, et que vous n'avez plus autant d'élan pour entreprendre quoi que ce soit, tâchez de ne plus le voir. Même si c'est une célébrité ou un archimilliardaire, laissez-le tomber parce qu'il a sur vous une influence néfaste.

S'ouvrir aux influences bénéfiques

Lorsque vous vous émerveillez devant une fleur, immédiatement vous sentez que cette fleur est comme une présence qui, par ses couleurs, sa forme, son parfum, vous parle et se fraie un chemin en vous, à travers vos corps subtils, afin d'éveiller dans votre âme la forme, le parfum, la couleur qui lui correspondent. Et il en est de même, bien sûr, pour un objet repoussant : vous le ressentez comme une présence qui introduit en vous des éléments nocifs. Tout ce qui vous entoure exerce une influence sur vous, même si vous n'en êtes pas conscient. Mais justement, l'important est d'en prendre conscience afin d'être vigilant et de ne vous exposer, dans la mesure du possible, qu'à des influences bénéfiques. Dès que vous sentez qu'une créature ou un objet vous influence favorablement, vous devez ouvrir consciemment vos portes intérieures afin que ses influences vous pénètrent profondément. Si vous ne vous ouvrez pas, même les meilleures choses resteront inefficaces, elles ne vous toucheront pas.

Alors, allez auprès d'un ruisseau, d'une source qui jaillit, et pensez que c'est là l'image de la véritable source de la vie qui doit jaillir et couler en vous… Allez auprès du soleil, contemplez-le, ouvrez-vous à lui afin qu'il éveille en vous le soleil spirituel, sa chaleur, sa lumière… Allez auprès des fleurs pour leur demander le secret de leur parfum, et écoutez-les afin d'apprendre à extraire, vous aussi, les quintessences les plus parfumées de votre cœur et de votre âme… Si vous veillez à ne vous ouvrir qu'aux influences harmonieuses, belles et pures, vous deviendrez vous-même une bénédiction pour tous ceux qui viendront auprès de vous.

L'influence des créations artistiques

Tout ce que l'homme voit ou entend agit sur son système nerveux, et si actuellement tant de gens manifestent des troubles psychiques, c'est parce que, de plus en plus, ils vivent dans le désordre et la laideur. Même ce qui devrait les lier au monde de l'harmonie et de la beauté : l'art, a cessé de remplir sa mission. De plus en plus, la poésie n'est qu'une suite de mots où chacun trouve le sens qu'il veut ; la musique, des bruits bizarres et des rythmes violents, désordonnés ; la peinture, des lignes partant dans tous les sens et des couleurs comme jetées au hasard. Tout cela influence très négativement les humains en les faisant revenir vers le chaos. Choisissez donc avec soin les livres que vous lisez, la musique que vous écoutez, les images ou les spectacles que vous regardez. Tâchez de ne vous arrêter que sur les chefs-d'œuvre d'artistes véritablement inspirés par le Ciel, afin de vous lier à des existences qui vous dépassent. Vous commencez ainsi à sentir et à vivre ce que ces créateurs ont vécu et, le chemin qu'ils ont parcouru, vous êtes presque obligé, même sans le vouloir, de le parcourir derrière eux : ils vous entraînent dans les régions qu'ils ont contemplées et explorées, et c'est dans ces régions que vous goûterez vous aussi la vraie vie.

Utilisez les objets consciemment et avec amour

Combien d'appareils, d'ustensiles, d'objets de toutes sortes avez-vous à utiliser tous les jours ! Et la plupart du temps, vous les manipulez de façon distraite, ou même en les bousculant, en les malmenant. Pourquoi ne les prenez-vous pas consciemment et avec amour ? Même si vous n'acceptez pas l'idée que la manière dont vous vous servez des objets peut agir sur eux de façon nocive ou bénéfique, vous êtes obligé d'admettre qu'elle agit en tout cas sur vous. Faites l'expérience, et vous verrez que bousculer les objets ne produit pas les mêmes effets que se servir d'eux avec amour. Quoi qu'on fasse, il faut apprendre à le faire en essayant d'introduire dans ses gestes quelque chose de meilleur, de plus spirituel.

Consacrez les lieux et les objets

Vous avez une maison, un appartement ou au moins une chambre, vous vous servez tous les jours d'un certain nombre d'objets... Ces objets, ces lieux d'habitation, vous devez les consacrer à la Divinité afin qu'ils ne puissent servir que pour le bien. Demandez au Ciel de vous envoyer l'aide des esprits lumineux afin de les débarrasser de toutes les particules et influences négatives. Puis, consacrez-les à une vertu, à une entité céleste, en leur demandant de bien vouloir habiter ces lieux ou imprégner ces objets afin qu'ils agissent favorablement sur vous-même, sur votre famille, sur la santé de votre femme ou de votre mari, et celle de vos enfants, sur leur intellect, sur leur âme, leur esprit. Habituez-vous à ces pratiques et vous verrez combien vous vous sentirez aidé, soutenu, renforcé.

Nous laissons des empreintes partout où nous passons

Tout ce que nous faisons au cours d'une journée laisse des traces dans les lieux que nous occupons, ce sont des empreintes, des clichés, toute une mémoire qui est là, fixée dans le plan éthérique, sur les murs, les meubles, les objets. Il n'est pas nécessaire de toucher les objets pour laisser des traces sur eux ; même sans les toucher, votre seule présence, les émanations de votre corps physique, de votre corps astral, de votre corps mental s'impriment sur eux. Et dans les endroits où vous passez, sur les personnes que vous fréquentez, vous laissez aussi des traces bonnes ou mauvaises, lumineuses ou sombres. C'est pourquoi il est tellement important de travailler sur ses pensées et ses sentiments pour les améliorer, les purifier, en sachant que ce n'est pas uniquement par les actes, mais par les pensées et les sentiments qu'on peut faire le bien ou le mal.

Partout, quoi que vous fassiez, efforcez-vous de ne laisser que des traces de lumière et d'amour. Vous passez sur un chemin, dans une rue : bénissez ce chemin ou cette rue en demandant que tous ceux qui y passeront après vous reçoivent la paix et la lumière, qu'ils soient entraînés dans la bonne voie, qu'ils vibrent à l'unisson avec le monde divin.

Notre influence sur les humains et sur toute la création

Les humains sont rarement attentifs aux effets positifs ou négatifs des états dans lesquels ils se trouvent. Même avec les êtres qu'ils aiment, ils se montrent négligents, désinvoltes. C'est quand un homme est chagriné et malheureux qu'il va rendre visite à sa bien-aimée et l'embrasser pour se consoler ; dans ses baisers il lui donne son chagrin, son découragement, mais ça lui est égal, il n'y fait même pas attention. Et combien de parents font la même chose avec leurs enfants ! Les hommes, les femmes font sans cesse des échanges entre eux, et que sont ces échanges ? Dieu seul le sait, ou plutôt ce sont les diables qui le savent !

Quand vous vous sentez irrité, nerveux ou mal disposé, ne touchez pas les autres, surtout les enfants, et ne leur donnez rien non plus, parce qu'avec votre colère et vos mauvaises dispositions, vous les entraînez dans le côté négatif. Et même, quand vous devez préparer un repas, veillez aussi à ne pas le faire dans n'importe quel état, sachant que vos pensées, vos sentiments imprégneront la nourriture que votre famille ou vos amis vont absorber. Apprenez à être attentif à tout ce que vous faites en développant votre conscience et votre sensibilité.

Il ne faut jamais oublier que vos états intérieurs ne vous concernent pas uniquement vous-même, mais qu'ils influencent aussi les autres. Même si vous ne le sentez pas très clairement, vous êtes en liaison avec tous les membres de votre famille et de la société, et quand vous progressez, toutes les richesses et les lumières que vous recevez se reflètent sur ces personnes auxquelles vous êtes lié. À cause de votre avancement, elles avancent aussi. Peut-être ne s'en aperçoivent-elles pas, mais le Ciel voit qu'elles progressent à cause de vous. Et c'est la même chose si vous commencez à vous assombrir, à péricliter : votre famille et la société, qui sont liées à vous, subissent à cause de vous des influences néfastes. C'est ainsi qu'on entraîne les êtres vers le Ciel ou vers l'Enfer. Eh oui, on est responsable.

Alors, voulez-vous être utile, aider toute l'humanité, même les animaux, les plantes, les arbres ?... Tâchez de rendre votre vie de plus en plus spirituelle, car subtilement, imperceptiblement, vous entraînez toute la création vers les hauteurs, vous attirez des bénédictions sur tous les êtres.

Nous sommes libres d'accepter ou de refuser les influences

Sachez qu'il dépend toujours de vous d'accepter une influence. Même les esprits du mal n'ont aucun pouvoir sur vous si vous vous fermez à eux. Évidemment, si vous n'avez pas de discernement, si vous ne savez pas vous protéger, si vous ne prenez pas de précautions, ils peuvent vous entraîner vers l'Enfer. Ils savent comment ils doivent vous tenter par toutes sortes d'appâts, et si vous marchez, si vous avalez l'hameçon, vous êtes dans le filet et après, doucement, ils vous conduisent à votre perte. Dieu leur a donné ce pouvoir, mais seulement si vous êtes faible, si vous n'êtes pas éclairé. Mais si vous refusez de vous laisser attirer dans la direction où ils veulent vous conduire et que vous vous placez sous l'influence des esprits lumineux, vous leur échappez, ils n'ont aucun pouvoir sur vous.

Se purifier de tout ce qui peut nourrir les indésirables

Si vous laissez traîner chez vous des restes de nourriture, très vite toutes sortes de bestioles, mouches, guêpes, fourmis, souris, etc., arrivent pour s'en nourrir. La saleté les attire. Pour les faire disparaître, il faut nettoyer. Sinon, rien à faire. Essayer de les chasser ou de les tuer ne suffit pas pour vous en débarrasser : tant que vous laissez traîner des déchets, vous avez des bestioles, parce qu'il en arrive toujours d'autres. Pour les chasser définitivement, nettoyez, elles s'en iront chercher leur nourriture ailleurs. De la même façon, vous devez aussi savoir que si vous acceptez et conservez en vous certains sentiments, désirs ou pensées qui ne sont ni lumineux ni purs, tout de suite arrivent des entités ténébreuses qui aiment ces impuretés, et vous êtes harcelé, tourmenté. Quoi que vous fassiez, tant que vous conservez en vous des éléments qui fermentent, qui pourrissent, vous serez la proie de ces indésirables. Pour vous en débarrasser, il faut surveiller vos pensées et vos sentiments, travailler sur eux afin de les purifier et de les transformer en une nourriture délectable pour les esprits célestes.

La consécration aux esprits lumineux

L'espace est peuplé de milliards d'entités malfaisantes qui ont juré la perte du genre humain. Bien sûr, il est aussi peuplé d'innombrables entités lumineuses qui sont là pour l'aider et le protéger. Oui, mais leur aide et leur protection ne seront jamais vraiment efficaces si les humains eux-mêmes ne font rien.

Si votre cœur, votre âme, votre esprit restent ouverts aux quatre vents sans être consacrés et entourés d'une barrière de lumière, les esprits ténébreux, les indésirables ont le droit d'entrer, de faire des dégâts et de repartir en emportant tous vos trésors. Ils ne sont pas fautifs, c'est à vous de faire ce qu'il faut pour les tenir à l'écart et attirer, au contraire, les esprits lumineux en disant chaque jour : « Seigneur Dieu, Mère divine, Sainte Trinité, tous les Anges et les Archanges, serviteurs de Dieu, serviteurs de la lumière, amis célestes, tout mon être vous appartient, installez-vous, servez-vous de moi, disposez de moi pour la gloire de Dieu, pour le Royaume de Dieu sur la terre. » Voilà ce que vous devez répéter chaque jour. Si vous ne le faites pas, ne vous étonnez pas que c'en soient d'autres qui s'installent.

Si vous ne pensez pas à inviter les entités célestes, ne vous étonnez pas qu'il y en ait d'autres, pas du tout célestes, qui s'installent en vous. C'est à vous qu'il appartient de décider par qui vous voulez être « occupé ». Si vous n'invitez pas les anges, ils ne chercheront pas à pénétrer en vous ; ce sont les diables qui pénétreront sans attendre votre invitation, car eux ne respectent rien. Si vous voulez que les anges viennent, c'est à vous de prendre la décision, de prononcer ces paroles magiques : « Voilà, ici je suis le propriétaire, je suis le maître, alors, venez, disposez de tout, c'est à vous. » Quand ces êtres lumineux sentent qu'ils exécutent la volonté du propriétaire, ils deviennent très audacieux, ils se jettent sur les autres et les chassent. Mais tant que le maître de la maison n'a pas prononcé ces paroles, ils ne font rien, ils respectent sa volonté. Eh oui, ce sont des règles divines.

Se mettre au service du Ciel pour bénéficier de sa protection

Si vous êtes, admettons, fonctionnaire de l'État, c'est lui qui vous protège et en principe personne ne peut vous attaquer sans que vous soyez défendu par cette autorité qui veille sur vous. De même, celui qui devient serviteur du Ciel et veut travailler pour la Cause divine devient comme un « fonctionnaire » sur lequel veille désormais le monde invisible. Les anges le protègent et prennent soin de lui, il ne se sent plus isolé dans le désert de la vie, car il est membre de la grande famille divine. Si vous vous mettez au service du Ciel pour participer à la réalisation du Royaume de Dieu et de sa Justice sur la terre, une grande protection s'étendra sur votre vie, des êtres lumineux marcheront près de vous pour vous soutenir et vous éclairer.

Un vrai talisman

Pendant la guerre, pour protéger les vitres du fracas des explosions violentes qui risquaient de les faire voler en éclats, les gens y collaient de petits rubans de papier qui neutralisaient les vibrations. Transposons ce phénomène dans la vie intérieure : il arrive qu'on soit exposé aux attaques de pensées et de sentiments négatifs qui sont comme des bombardements, et ces bombardements risquent de briser « les vitres ». Eh bien, si vous y collez des rubans de papier, c'est-à-dire si vous possédez dans votre cœur l'image d'un saint, d'un prophète ou du Christ, et que vous vous concentrez sur elle, comme vous la vénérez, comme vous l'aimez, cette image s'oppose à toutes les vibrations chaotiques, et alors vous résistez.

Dans la chrétienté, il a toujours existé des mystiques qui contemplaient et adoraient le visage du Christ en le considérant comme un talisman assez puissant pour les éclairer et les protéger de tout mal. Si vous voulez vraiment posséder un talisman, choisissez le visage d'un être pur, lumineux, juste, sage, un véritable fils de Dieu ou une véritable fille de Dieu, et contemplez-le longuement chaque jour en cherchant à vous identifier à lui.

La meilleure protection : l'aura

Les humains ont su perfectionner d'innombrables appareils pour se protéger et se défendre dans le plan physique : regardez les coffres, les verrous, les portes blindées, les alarmes, sans parler des armes : canons, tanks, fusées, missiles, etc... Mais dans le plan spirituel, ils restent pauvres, démunis, exposés à toutes les agressions.

Et pourtant, des moyens et des armes, il en existe de toutes sortes. Tout ce qui a été inventé dans le plan physique a son équivalent dans le plan spirituel. Les vêtements, par exemple, qui nous protègent du froid, de la chaleur, des chocs, des intempéries, des insectes, sont, dans le plan spirituel, représentés par l'aura qui est l'une des protections parmi les meilleures.

Le véritable vêtement de l'homme, c'est son aura, avec toutes les couleurs qui représentent ses qualités et ses vertus. Oui, l'aura est le vêtement spirituel que vous tissent les vertus, et particulièrement la pureté et la lumière intérieures. À ce moment-là, les indésirables, qui n'ont rien à quoi s'accrocher, puisqu'ils ne trouvent pas de nourriture pour eux et ne supportent pas la lumière, vous quittent. L'aura a un rôle magique, elle agit sur les esprits du monde invisible, attirant les entités lumineuses et repoussant les entités ténébreuses. Chaque jour, pensez à former autour de vous un cercle de lumière, et imaginez au centre de ce cercle une source lumineuse qui jaillit sans cesse et dont les ondes bénéfiques se répandent sur vous et autour de vous.

Notre point d'équilibre : le Seigneur

Si vous parvenez à placer le Seigneur à la tête de votre existence, au-dessus de tous vos désirs, de tous vos intérêts personnels, il se fait en vous de grandes transformations et vous devenez un monde organisé. Placer Dieu à la tête de son être, c'est trouver un point d'équilibre inébranlable. Quand un objet est solidement suspendu, on peut l'agiter dans tous les sens, il reviendra automatiquement à sa position d'équilibre. Il en va de même pour l'être humain. Tant que vous n'avez pas fortement établi votre point d'appui en Dieu, vous serez déséquilibré par n'importe quel petit bouleversement survenant dans votre vie. Mais le jour où vous serez parvenu à mettre tout votre espoir, toute votre foi, toute votre confiance, tout votre amour dans le Créateur, vous resterez, quoi qu'il arrive, solide et résistant.

Consacrez votre cœur à Dieu

Vous ne pouvez être en sécurité qu'à condition de tout donner à Dieu : votre esprit, votre âme, votre corps… Oui, et même votre maison et l'argent que vous possédez, car le Seigneur est le seul capable de vous conseiller comment l'utiliser pour le bien. Mais avant toute chose, c'est votre cœur que vous devez donner à Dieu, c'est Lui qui vous le demande. Pourquoi ? Parce que c'est dans le cœur que se faufile le Malin. Le cœur correspond au plan astral qui touche le plan physique, c'est pourquoi les forces obscures du monde souterrain peuvent l'influencer plus facilement qu'elles n'influencent l'intellect et l'âme, et surtout l'esprit. Quoi que vous fassiez de mal, vous ne pouvez entraîner votre esprit. L'esprit est une étincelle qui ne peut jamais être ternie ou éteinte, elle est trop près de Dieu.

Le Seigneur vous demande votre cœur, mais vous ripostez : « Et pourquoi, Seigneur ? Mon cœur est pour tel ou telle… – Bon, j'ai compris, c'est entendu, dit le Seigneur, mais donne-le moi quand même, parce que tous tes malheurs et tes souffrances viennent de ce que tu gardes ton cœur pour toi et qu'il ne peut que te jouer de mauvais tours. »

Donnez donc votre cœur à Dieu et il sera en sécurité. Lui, au moins, sait comment le porter. Il ne le laissera pas tomber, alors qu'avec celui ou celle que vous aimez, vous ne pourrez jamais être sûr. Tant que vous n'aurez pas consacré votre cœur au Seigneur, vous serez toujours exposé intérieurement à de grands troubles. Combien d'êtres exceptionnels ont été entraînés par leur cœur dans toutes sortes de désordres et de folies ! Le cœur… personne n'est à l'abri des démons qui cherchent à s'emparer du cœur humain. C'est pourquoi vous devez toujours chercher la protection céleste en donnant votre cœur à Dieu. Et Dieu enverra des anges qui s'installeront dans votre cœur et travailleront à le garder à l'abri.

INDEX

A

F

G

H

I

J

L

M

Q

R

S

TABLE DES MATIÈRES

Du même auteur:

Collection des « Œuvres Complètes »

Tome 1 – La deuxième naissance
Tome 2 – L'alchimie spirituelle
Tome 3 – Les deux arbres du Paradis
Tome 4 – Le grain de sénevé
Tome 5 – Les puissances de la vie
Tome 6 – L'harmonie
Tome 7 – Les mystères de Iésod, les fondements de la vie spirituelle
Tome 8 – Langage symbolique, langage de la nature
Tome 9 – « Au commencement était le Verbe… »
Tome 10 – Les splendeurs de Tiphéret, le soleil dans la pratique spirituelle
Tome 11 – La clef essentielle pour résoudre les problèmes de l'existence
Tome 12 – Les lois de la morale cosmique
Tome 13 – La nouvelle terre Méthodes, exercices, formules, prières
Tome 14 – L'amour et la sexualité *
Tome 15 – L'amour et la sexualité **
Tome 16 – Hrani Yoga Le sens alchimique et magique de la nutrition
Tome 17 – « Connais-toi, toi-même » Jnani yoga *
Tome 18 – « Connais-toi, toi-même » Jnani yoga **
Tome 19 à 22 – Pensées Quotidiennes
Tome 23 – La nouvelle religion: solaire et universelle *
Tome 24 – La nouvelle religion: solaire et universelle **
Tome 25 – Le Verseau et l'avènement de l'Âge d'Or *
Tome 26 – Le Verseau et l'avènement de l'Âge d'Or **
Tome 27 – La pédagogie initiatique *
Tome 28 – La pédagogie initiatique **
Tome 29 – La pédagogie initiatique ***
Tome 30 – Vie et travail à l'École divine *
Tome 31 – Vie et travail à l'École divine **
Tome 32 – Les fruits de l'Arbre de Vie La Tradition kabbalistique

Éditeur-Distributeur

Éditions PROSVETA S.A. - B.P. 12 – F - 83601 Fréjus Cedex (France)
Tel. (33) 04 94 19 33 33 - Fax (33) 04 94 19 33 34
E-mail: international@prosveta.com
Site internet : http://www.prosveta.com

Distributeurs

ALLEMAGNE
PROSVETA Deutschland – Heer Strasse 55 – 78628Rottweil
Tel. (49) 741-46551 – Fax. (49) 741-46552 – e-mail: prosveta.de@t-online.de

AUSTRALASIE
SURYOMA LTD - P.O. Box 2218 – Bowral – N.S.W. 2576 Australie
e-mail: info@suryoma.com – Tel. (61) 2 4872 3999 – fax (61) 2 4872 4022

AUTRICHE
HARMONIEQUELL VERSAND – A- 5302 Henndorf am Wallersee, Hof 37
Tel. / fax (43) 6214 7413 – e-mail: info@prosveta.at

BELGIQUE & LUXEMBOURG
PROSVETA BENELUX – Liersesteenweg 154 B-2547 Lint
Tel (32) 3/455 41 75 – Fax 3/454 24 25 – e-mail: prosveta@skynet.be
N.V. MAKLU Somersstraat 13-15 – B-2000 Antwerpen
Tel. (32) 3/231 29 00 – Fax 3/233 26 59
VANDER S.A. – Av. des Volontaires 321 – B-1150 Bruxelles
Tel. (32) 27 62 98 04 – Fax 27 62 06 62

BULGARIE
SVETOGLED – Bd Saborny 16 A, appt 11 – 9000 Varna
e-mail: svetgled@revolta.com – Tel/Fax: (359) 52 23 98 02

CANADA – ÉTATS-UNIS
PROSVETA Inc. – 3950, Albert Mines – North Hatley (Qc), J0B 2C0
Tel. (819) 564-8212 – Fax. (819) 564-1823
in Canada, call toll free: 1-800-854-8212
e-mail: prosveta@prosveta-canada.com / www.prosveta-canada.com

CHYPRE
THE SOLAR CIVILISATION BOOKSHOP – BOOKBINDING
73 D Kallipoleos Avenue - Lycavitos – P. O. Box 24947, 1355 – Nicosia
e-mail: cypapach@cytanet.com.cy – Tel / Fax 00357-22-377503

COLOMBIE
PROSVETA – Calle 146 N° 25-28 Cedritos – Bogotá
Tel. (57) 1614 53 85 – Fax (57) 1633 58 03 – Mobile (57) 310 235 74 55
e-mail: kalagiya@tutopia.com

ESPAGNE
ASOCIACIÓN PROSVETA ESPAÑOLA – C/ Ausias March n° 23 Ático
SP-08010 Barcelona - Tel (34) (93) 412 31 85 - Fax (34) (93) 302 13 72
aprosveta@prosveta.es

GRANDE-BRETAGNE – IRLANDE
PROSVETA – The Doves Nest, Duddleswell Uckfield, – East Sussex TN 22 3JJ
Tel. (44) (01825) 712988 - Fax (44) (01825) 713386
e-mail: prosveta@pavilion.co.uk

GRÈCE
RAOMRON – D. RAGOUSSIS
3, rue A. Papamdreou – C.P. 16675 – Glifada - Athènes
Tel / Fax: (010) 9681127 – e-mail: raomron@hol.gr

HAÏTI

PROSVETA – DÉPÔT – B.P. 115, Jacmel, Haïti (W.I.)
Tel./ Fax (509) 288-3319
e-mail: haiti@prosveta.com

ISRAËL

Zohar, P. B. 1046, Netanya 42110
e-mail: zohar@wanadoo.fr

ITALIE

PROSVETA Coop. – Casella Postale – 06060 Moiano (PG)
Tel. (39) 075-835 84 98 – Fax (39) 075-835 97 12
e-mail: prosveta@tin.it

LIBAN

PROSVETA LIBAN – P.O. Box 90-995
Jdeidet-el-Metn, Beyrouth – Tel. (03) 448560
e-mail: prosveta_lb@terra.net.lb

NORVÈGE

PROSVETA NORDEN – Postboks 5101 – 1503 Moss
Tel. (47) 69 26 51 40 – Fax (47) 69 25 06 76
e-mail: prosnor@online.no

PAYS-BAS

STICHTING PROSVETA NEDERLAND
Zeestraat 50 – 2042 LC Zandvoort
Tel. (31) 33 25 345 75 – Fax. (31) 33 25 803 20
e-mail: prosveta@worldonline.nl

PORTUGAL & BRÉSIL

EDIÇÕES PROSVETA
Rua Passos Manuel, n° 20 – 3e E, P 1150 – 260 Lisboa
Tel. (351) (21) 354 07 64 – Fax (351) (21) 798 60 31
e-mail : prosvetapt@hotmail.com
PUBLICAÇÕES EUROPA-AMERICA Ltd
Est Lisboa-Sintra KM 14 – 2726 Mem Martins Codex

RÉPUBLIQUE TCHÈQUE

PROSVETA – Ant. Sovy 18, – Ceské Budejovice 370 05
Tel / Fax: (420) 38-53 00 227 – e-mail: prosveta@iol.cz

ROUMANIE

ANTAR – Str. N. Constantinescu 10 - Bloc 16A - sc A - Apt. 9,
Sector 1 – 71253 Bucarest
Tel. 004021-231 28 78 - Tel./ Fax 004021-231 37 19
e-mail : antared@pcnet.ro

RUSSIE

EDITIONS PROSVETA
Riazanski Prospekt 8a, office 407 – 109428 Moscou
Tel / Fax (7095) 232 08 79 – e-mail : prosveta@online.ru

SUISSE

PROSVETA Société Coopérative – CH - 1808 Les Monts-de-Corsier
Tel. (41) 21 921 92 18 – Fax. (41) 21 922 92 04
e-mail: prosveta@swissonline.ch

VENEZUELA

PROSVETA VENEZUELA C. A. – Urbanizacion Las Mercedes
Calle Madrid – Quinta Monteserinos – Caracas
Tel. (58) 0414 22 36 748 – e-mail : betty_mramirez@hotmail.com

L'association Fraternité Blanche Universelle
a pour but l'étude et l'application de l'Enseignement
du Maître Omraam Mikhaël Aïvanhov édité et diffusé
par les Éditions Prosveta

Pour tout renseignement sur l'Association, s'adresser à:
Secrétariat F.B.U.
2 rue du Belvédère de la Ronce
F - 92310 SÈVRES, FRANCE
Tel. (33) 01 45 34 08 85 – Fax (33) 01 46 23 09 26
E-mail: fbu@fbu.org – Site internet - http://www.fbu.org

Achevé d'imprimer en octobre 2002
par DUMAS-TITOULET Imprimeurs
N° imprimeur : 37898
42004 Saint-Etienne – France

Dépôt légal : octobre 2002
1er dépôt légal dans la même collection : 1988